#연산반복학습
#생활속계산
#문장읽고계산식세우기
#학원에서검증된문제집

수학리더
연산

Chunjae
Makes
Chunjae

▼

기획총괄	박금옥
편집개발	지유경, 정소현, 조선영, 최윤석
디자인총괄	김희정
표지디자인	윤순미, 박민정
내지디자인	박희춘
제작	황성진, 조규영

발행일	2021년 10월 15일 개정초판 2024년 8월 15일 4쇄
발행인	(주)천재교육
주소	서울시 금천구 가산로9길 54
신고번호	제2001-000018호
고객센터	1577-0902
교재 구입 문의	1522-5566

수학 리더 연산 4-A

차례

① 큰 수 6일 수업 4

② 각 도 4일 수업 36

③ 곱 셈 8일 수업 60

④ 나눗셈 15일 수업 102

이 책의 구성과 특징

I 이번에 배울 내용을 알아볼까요?

공부할 내용을 만화로 재미있게 확인할 수 있습니다.

기초 계산 연습

계산 원리와 방법을 한눈에
익힐 수 있고 계산 반복 훈련으로
확실하게 익힐 수 있습니다.

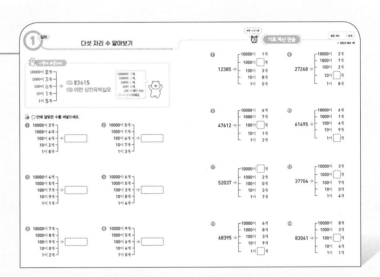

플러스 계산 연습

다양한 형태의 계산 문제를 반복하여
완벽하게 익힐 수 있습니다.

~~~~~~ Structure & Features

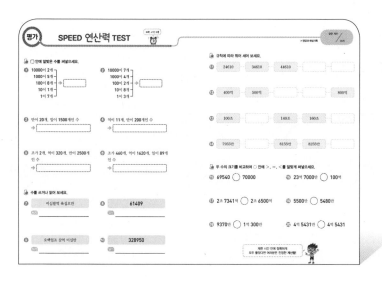

평가 SPEED 연산력 TEST

배운 내용을 테스트로 마무리 할 수 있습니다.

특강 문장제 문제 도전하기

단순 연산 문제와 함께
문장제 문제도 연습할 수
있습니다.

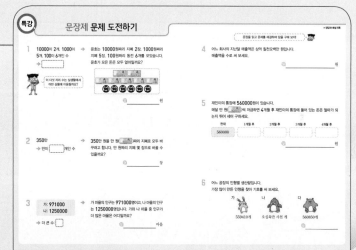

특강 창의·융합·코딩·도전하기

요즘 수학 문제인 창의·융합·코딩
문제를 수록하였습니다.

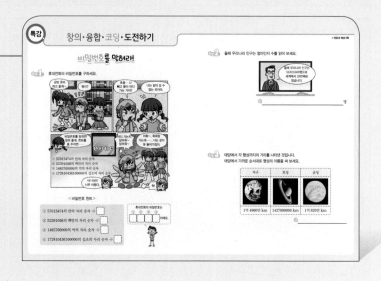

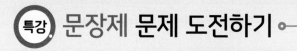

① 큰 수

 실생활에서 알아보는 재미있는 수학 이야기

이번에 배울 내용을 알아볼까요?

1일차 다섯 자리 수 알아보기

2일차 십만, 백만, 천만 알아보기

3일차 억 알아보기

4일차 조 알아보기

5일차 뛰어 세기

6일차 수의 크기 비교

다섯 자리 수 알아보기

10000이 **2**개
1000이 **3**개
100이 **6**개
10이 **1**개
1이 **5**개

→ 쓰기 **23615**
읽기 이만 삼천육백십오

10000이 ㉠개,
1000이 ㉡개,
100이 ㉢개,
10이 ㉣개,
1이 ㉤개인 수는
㉠㉡㉢㉣㉤이에요.

☐ 안에 알맞은 수를 써넣으세요.

1

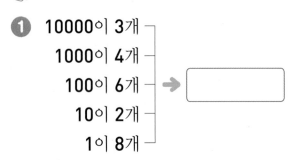

10000이 3개
1000이 4개
100이 6개 →
10이 2개
1이 8개

2

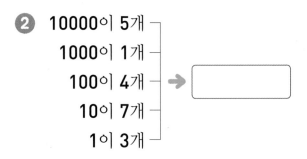

10000이 5개
1000이 1개
100이 4개 →
10이 7개
1이 3개

3

10000이 4개
1000이 5개
100이 7개 →
10이 9개
1이 1개

4

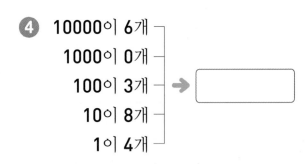

10000이 6개
1000이 0개
100이 3개 →
10이 8개
1이 4개

5

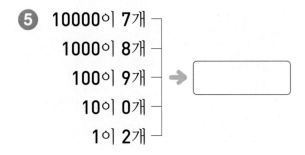

10000이 7개
1000이 8개
100이 9개 →
10이 0개
1이 2개

6

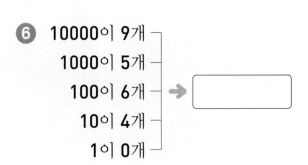

10000이 9개
1000이 5개
100이 6개 →
10이 4개
1이 0개

❼

12385 →
- 10000이 　1개
- 1000이 　☐개
- 100이 　3개
- 10이 　8개
- 1이 　5개

❽

27268 →
- 10000이 　2개
- 1000이 　7개
- 100이 　2개
- 10이 　☐개
- 1이 　8개

❾

47612 →
- 10000이 　4개
- 1000이 　7개
- 100이 　☐개
- 10이 　1개
- 1이 　2개

❿

61495 →
- 10000이 　6개
- 1000이 　1개
- 100이 　4개
- 10이 　9개
- 1이 　☐개

⓫

52037 →
- 10000이 　☐개
- 1000이 　2개
- 100이 　0개
- 10이 　3개
- 1이 　7개

⓬

37704 →
- 10000이 　3개
- 1000이 　☐개
- 100이 　7개
- 10이 　0개
- 1이 　4개

⓭

68395 →
- 10000이 　6개
- 1000이 　8개
- 100이 　3개
- 10이 　9개
- 1이 　☐개

⓮

83041 →
- 10000이 　8개
- 1000이 　3개
- 100이 　☐개
- 10이 　4개
- 1이 　1개

1

큰
수

7

다섯 자리 수 알아보기

 수를 쓰거나 읽어 보세요.

1 만 천오백이십칠

쓰기 _____

2 34184

읽기 _____

3 이만 오천구십사

쓰기 _____

4 52206

읽기 _____

5 구만 오백

쓰기 _____

6 84130

읽기 _____

각 자리의 숫자가 나타내는 값의 합으로 나타내려고 합니다. ☐ 안에 알맞은 수를 써넣으세요.

7 $47228 = 40000 + \boxed{} + 200 + \boxed{} + 8$

8 $73516 = \boxed{} + 3000 + \boxed{} + 10 + 6$

9 $85625 = 80000 + 5000 + \boxed{} + 20 + \boxed{}$

생활 속 문제

🐻 돈은 모두 얼마인지 구하세요.

10

[ ] 원

11

[ ] 원

12

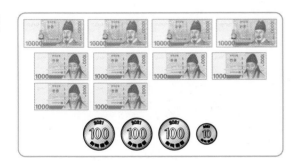

[ ] 원

13

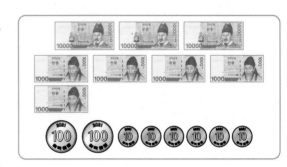

[ ] 원

문장 읽고 문제 해결하기

14

10000이 6개, 1000이 7개인 다섯 자리 수는?

답 _____

15

10000이 7개, 100이 5개인 다섯 자리 수는?

답 _____

16

10000이 5개, 1000이 4개, 100이 2개, 10이 9개, 1이 4개인 다섯 자리 수는?

답 _____

17

10000이 9개, 1000이 2개, 100이 6개, 10이 7개, 1이 4개인 다섯 자리 수는?

답 _____

십만, 백만, 천만 알아보기

이렇게 해결하자

- 만이 1235개, 일이 3060개인 수

  1235 3060
  　만　　일

  → 쓰기 **12353060**

  → 읽기 **천이백삼십오만 삼천육십**

일의 자리부터
네 자리씩 끊어서 읽어요.

□ 안에 알맞은 수를 써넣으세요.

① 만이 **13**개, 일이 **2800**개인 수

→

② 만이 **325**개, 일이 **6000**개인 수

→

③ 만이 **127**개, 일이 **3500**개인 수

→

④ 만이 **403**개, 일이 **1655**개인 수

→

⑤ 만이 **761**개, 일이 **4349**개인 수

→

천의 자리에 0을 써줘야 해요!

⑥ 만이 **1257**개, 일이 **740**개인 수

→

⑦ 만이 **260**개, 일이 **34**개인 수

→

⑧ 만이 **1470**개, 일이 **506**개인 수

→

⑨ 271569

➡ 만이 [　] 개, 일이 **1569**개인 수

⑩ 357152

➡ 만이 **35**개, 일이 [　] 개인 수

⑪ 2051657

➡ 만이 **205**개, 일이 [　] 개인 수

⑫ 5167094

➡ 만이 [　] 개, 일이 **7094**개인 수

⑬ 3741200

➡ 만이 [　] 개, 일이 **1200**개인 수

⑭ 6100900

➡ 만이 **610**개, 일이 [　] 개인 수

⑮ 42383610

➡ 만이 **4238**개, 일이 [　] 개 인 수

⑯ 84160610

➡ 만이 [　] 개, 일이 **610**개 인 수

⑰ 2600030

➡ 만이 [　] 개, 일이 **30**개인 수

⑱ 19750008

➡ 만이 **1975**개, 일이 [　] 개인 수

⑲ 5850073

➡ 만이 **585**개, 일이 [　] 개인 수

⑳ 700571

➡ 만이 [　] 개, 일이 **571**개인 수

1

큰
수

11

십만, 백만, 천만 알아보기

🐻 수를 쓰거나 읽어 보세요.

1
| 오십사만 |

쓰기 _____

2
| 204610 |

읽기 _____

3
| 백육만 사천삼백이십오 |

쓰기 _____

4
| 6973500 |

읽기 _____

5
| 이천오십만 삼천팔십 |

쓰기 _____

6
| 74510536 |

읽기 _____

🐻 빈칸에 밑줄 친 숫자가 나타내는 값을 써넣으세요.

7
| 48<u>3</u>20000 |

8
| 8<u>2</u>450300 |

9
| <u>1</u>7120000 |

10
| 64<u>0</u>80000 |

생활 속 문제

🐻 각 학교에서 모금한 불우 이웃 돕기 금액은 얼마인지 구하세요.

11

은우네 학교의 모금액

💵 : 130장

우리 학교의 모금액은

　　　　　원이야.

은우

12

서준이네 학교의 모금액

💵 : 204장

우리 학교의 모금액은

　　　　　원이야.

서준

13

서아네 학교의 모금액

💵 : 100장

💵 : 50장

우리 학교의 모금액은

　　　　　원이야.

서아

14

유찬이네 학교의 모금액

💵 : 110장

💵 : 100장

우리 학교의 모금액은

　　　　　원이야.

유찬

문장 읽고 문제 해결하기

15 60만은 10000이 몇 개인 수?

답 _____ 개

16 300만은 10000이 몇 개인 수?

답 _____ 개

17 100만이 10개, 10만이 5개, 만이 8개
인 수는?

답 _____

18 100만이 12개, 10만이 6개, 만이 4개
인 수는?

답 _____

억 알아보기

- 억이 **35**개, 만이 **4208**개, 일이 **1655**개인 수

35 4208 1655
억　　만　　일

→ 쓰기 **3542081655**

읽기 **삼십오억 사천이백팔만 천육백오십오**

억이 ●개, 만이 ▲개,
일이 ★개인 수는
●억 ▲만 ★이에요.

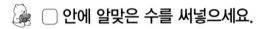 □ 안에 알맞은 수를 써넣으세요.

1 억이 **5**개, 만이 **1600**개,
일이 **2957**개인 수

→

2 억이 **43**개, 만이 **5002**개,
일이 **6820**개인 수

→

3 억이 **128**개, 만이 **6130**개,
일이 **4200**개인 수

→

4 억이 **315**개, 만이 **5000**개,
일이 **1724**개인 수

→

5 억이 **5790**개, 만이 **17**개,
일이 **8400**개인 수

→

6 억이 **2183**개, 만이 **5411**개,
일이 **28**개인 수

→

7 억이 **4233**개, 만이 **2537**개인 수

→

8 억이 **678**개, 일이 **4132**개인 수

→

14

9 3576425068

→ 억이 ☐ 개, 만이 **7642**개,

일이 **5068**개인 수

10 29412746741

→ 억이 **294**개, 만이 **1274**개,

일이 ☐ 개인 수

11 834052005

→ 억이 **8**개, 만이 ☐ 개,

일이 **2005**개인 수

12 5284000743

→ 억이 **52**개, 만이 **8400**개,

일이 ☐ 개인 수

13 5229183307

→ 억이 ☐ 개, 만이 **2918**개,

일이 **3307**개인 수

14 76800562681

→ 억이 **768**개, 만이 ☐ 개,

일이 **2681**개인 수

15 95710050436

→ 억이 **957**개, 만이 **1005**개,

일이 ☐ 개인 수

16 691210510009

→ 억이 ☐ 개, 만이 **1051**개,

일이 **9**개인 수

17 40807400945

→ 억이 **408**개, 만이 ☐ 개,

일이 **945**개인 수

18 157020040025

→ 억이 **1570**개, 만이 **2004**개,

일이 ☐ 개인 수

1

큰
수

15

억 알아보기

🐻 수를 쓰거나 읽어 보세요.

1 | 육백이억 |

쓰기 _____

2 | 75600000000 |

읽기 _____

3 | 천억 이천오백삼십만 |

쓰기 _____

4 | 20470000000 |

읽기 _____

5 | 구백삼십억 사십팔 |

쓰기 _____

6 | 4750003600 |

읽기 _____

🐻 ㉠과 ㉡이 나타내는 값을 각각 써 보세요.

7 | 42700000000
㉠ ㉡ |

㉠ _____

㉡ _____

8 | 129027000000
㉠ ㉡ |

㉠ _____

㉡ _____

9 | 512470030000
㉠ ㉡ |

㉠ _____

㉡ _____

10 | 625710400000
㉠ ㉡ |

㉠ _____

㉡ _____

플러스 계산 연습

생활 속 **문제**

🐻 각 나라의 인구를 수로 나타내 보세요.

11

▲ 중국

인구: 십사억 사천사백이십일만
　　　 육천백이 명

➡ _____ 명

12

▲ 인도

인구: 십삼억 구천삼백사십만
　　　 구천삼십삼 명

➡ _____ 명

13

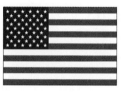

▲ 미국

인구: 삼억 삼천이백구십일만
　　　 오천칠십사 명

➡ _____ 명

14

▲ 인도네시아

인구: 이억 칠천육백삼십육만
　　　 천칠백팔십팔 명

➡ _____ 명

문장 **읽고 문제** 해결하기

15 1000만이 10개인 수는?

답 _____

16 1000만이 30개인 수는?

답 _____

17 억이 3180개, 만이 3407개, 일이 5012개인 수는?

답 _____

18 억이 4532개, 만이 4800개, 일이 748개인 수는?

답 _____

조 알아보기

이렇게 해결하자

• 조가 2000개, 억이 300개, 만이 1025개, 일이 460개인 수

2000 0300 1025 0460
조   억   만   일

→ 쓰기 2000030010250460
→ 읽기 이천조 삼백억 천이십오만 사백육십

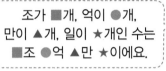 조가 ■개, 억이 ●개, 만이 ▲개, 일이 ★개인 수는 ■조 ●억 ▲만 ★이에요.

□ 안에 알맞은 수를 써넣으세요.

❶ 조가 **1**개, 억이 **2945**개, 만이 **5000**개, 일이 **1200**개인 수

→

❷ 조가 **7**개, 억이 **6700**개, 만이 **2945**개, 일이 **4003**개인 수

→

❸ 조가 **4**개, 억이 **6700**개인 수

→

❹ 조가 **12**개, 만이 **5006**개인 수

→

❺ 조가 **20**개, 억이 **1235**개, 만이 **8000**개 인 수

→

❻ 조가 **501**개, 억이 **2156**개, 일이 **322**개 인 수

→

❼ 조가 **145**개, 억이 **8**개, 일이 **400**개 인 수

→

❽ 조가 **3811**개, 만이 **25**개, 일이 **145**개 인 수

→

⑨ 23745500901000

➡ 조가 [　]개, 억이 **7455**개,

　만이 **90**개, 일이 **1000**개인 수

⑩ 15037814000390

➡ 조가 **15**개, 억이 **378**개,

　만이 [　]개, 일이 **390**개인 수

⑪ 160200042310025

➡ 조가 **160**개, 억이 [　]개,

　만이 **4231**개, 일이 **25**개인 수

⑫ 5630485000000785

➡ 조가 **5630**개, 억이 **4850**개,

　일이 [　]개인 수

⑬ 54491211250000

➡ 조가 **54**개, 억이 **4912**개,

　만이 [　]개인 수

⑭ 7000000903000028

➡ 조가 [　]개, 억이 **9**개,

　만이 **300**개, 일이 **28**개인 수

⑮ 4005131490001800

➡ 조가 **4005**개, 억이 [　]개,

　만이 **9000**개, 일이 **1800**개인 수

⑯ 5920631200070000

➡ 조가 **5920**개, 억이 **6312**개,

　만이 [　]개인 수

⑰ 327842000000019

➡ 조가 **327**개, 억이 **8420**개,

　일이 [　]개인 수

⑱ 9612008329450011

➡ 조가 **9612**개, 억이 [　]개,

　만이 **2945**개, 일이 **11**개인 수

1

큰 수

조 알아보기

🐻 수를 쓰거나 읽어 보세요.

1 이십칠조

쓰기 _____

2 58000000000000

읽기 _____

3 천삼십조 팔천억

쓰기 _____

4 30070000000019

읽기 _____

5 오백사조 이십삼억 백팔

쓰기 _____

6 219080700000000

읽기 _____

🐻 밑줄 친 숫자에 대하여 알맞은 말에 ○표 하고, 나타내는 값을 써 보세요.

7 4870000000000

┌ (십조 , 백조)의 자리 숫자
└ 값: _____

8 25001100000000

┌ (십조 , 백조)의 자리 숫자
└ 값: _____

9 3173060000000000

┌ (조 , 십조)의 자리 숫자
└ 값: _____

10 6832100000000000

┌ (백조 , 천조)의 자리 숫자
└ 값: _____

생활 속 문제

 각 회사의 매출액을 수로 나타내 보세요.

11 가 회사

매출액: 오십육조 칠천구백억 원

➡ _____ 원

12 나 회사

매출액: 삼천구십이조 팔십만 원

➡ _____ 원

13 다 회사

매출액: 사천백조 오십삼억 구십만 원

➡ _____ 원

14 라 회사

매출액: 이천백칠십조 구천억 원

➡ _____ 원

1

큰
수

문장 읽고 문제 해결하기

15 1000억이 10개인 수는?

답 _____

16 1000억이 20개인 수는?

답 _____

17 조가 3개, 억이 2785개, 만이 1004개, 일이 567개인 수는?

답 _____

18 조가 25개, 억이 460개, 만이 2800개, 일이 11개인 수는?

답 _____

뛰어 세기

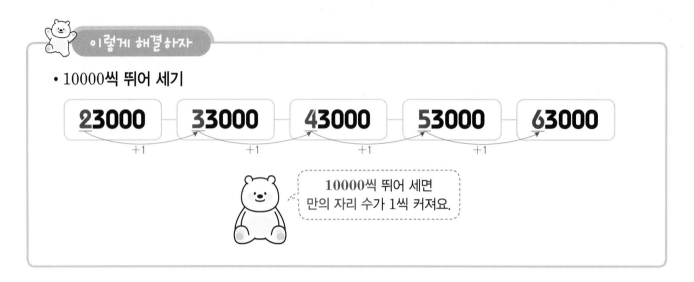

- 10000씩 뛰어 세기

23000 — **33000** — **43000** — **53000** — **63000**

10000씩 뛰어 세면 만의 자리 수가 1씩 커져요.

규칙에 따라 뛰어 세어 보세요.

1 10000씩 뛰어 세기

| 16500 | 26500 | | | 56500 |

2 100만씩 뛰어 세기

| 340만 | | 540만 | | 740만 |

3 10억씩 뛰어 세기

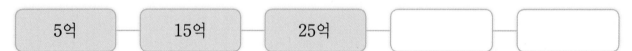

| 5억 | 15억 | 25억 | | |

4 100조씩 뛰어 세기

| 240조 3만 | 340조 3만 | | 540조 3만 | |

⑤ 14800 — 34800 — 54800 — ☐ — ☐

⑥ 38억 — 39억 — ☐ — ☐ — 42억

⑦ 5조 2억 — 15조 2억 — ☐ — 35조 2억 — ☐

⑧ 200만 — ☐ — 300만 — 350만 — ☐

⑨ 615조 — 715조 — 815조 — ☐ — ☐

⑩ 302억 — 322억 — ☐ — 362억 — ☐

⑪ 1억 7030만 — 1억 8030만 — ☐ — ☐ — 2억 1030만

뛰어 세기

🐻 규칙에 따라 뛰어 세어 보고, 얼마씩 뛰어 세었는지 ☐ 안에 써넣으세요.

1 | 262만 | 264만 | 266만 | 268만 | ☐ |

➡ ☐ 씩

2 | 1조 30억 | 1조 130억 | 1조 230억 | ☐ | 1조 430억 |

➡ ☐ 씩

🐻 규칙에 따라 빈칸에 알맞은 수를 써넣으세요.

3

				10만씩 뛰어 세기
			577200	
		467200	477200	
347200	357200		377200	

1만씩 뛰어 세기 →

4

				1000조씩 뛰어 세기
		1302조	1312조	
282조	292조		312조	

10조씩 뛰어 세기 →

생활 속 문제

🐻 은우와 건우가 5개월 후 가지게 되는 돈은 각각 얼마인지 뛰어 세어 구하세요.

5

은우: 75000원에서 매달 3만 원씩 5개월 동안 모을 거야.

현재	1개월 후	2개월 후	3개월 후	4개월 후	5개월 후
75000	105000				

→ [   ] 원

6

건우: 15만 원에서 매달 5만 원씩 5개월 동안 모을 거야.

현재	1개월 후	2개월 후	3개월 후	4개월 후	5개월 후
15만					

→ [   ] 원

1

큰 수

25

문장 읽고 문제 해결하기

7 470만에서 10만씩 커지게 5번 뛰어 센 수는?

답 _____

8 1조 40억에서 10억씩 커지게 4번 뛰어 센 수는?

답 _____

9 5억 123만에서 200만씩 커지게 4번 뛰어 센 수는?

답 _____

10 7조 20억에서 100억씩 커지게 4번 뛰어 센 수는?

답 _____

수의 크기 비교

• 760000과 2510000의 크기 비교

760000 < **2510000**
(6자리 수)   (7자리 수)

 자리 수가 다르면 자리 수가 많은 쪽이 더 커요.

• 3870000과 3850000의 크기 비교

3870000 > **3850000**
└─── 7>5 ───┘

 자리 수가 같으면 높은 자리부터 비교하여 큰 쪽이 더 커요.

1

큰 수

 두 수의 크기를 비교하여 ○ 안에 >, =, <를 알맞게 써넣으세요.

① 85200 ◯ 341000

② 129000 ◯ 95700

③ 57800 ◯ 57900

④ 367562 ◯ 420985

⑤ 652100 ◯ 625800

⑥ 336337 ◯ 3363337

⑦ 185400000 ◯ 184400000

⑧ 74620000 ◯ 74590000

⑨ 25713140 ◯ 25902168

⑩ 193400000 ◯ 19440000

기초 계산 연습

⑪ 14만 3950 ◯ 14만 3900

⑫ 1억 4860만 ◯ 1억 5000만

⑬ 527조 8억 ◯ 630조

⑭ 28억 1213만 ◯ 28억 560만

⑮ 65억 410만 ◯ 64억 375만

⑯ 8만 1987 ◯ 8만 1988

⑰ 185조 3015 ◯ 185조 745

⑱ 2178만 4680 ◯ 2178만 90

⑲ 60만 ◯ 5914500

⑳ 9억 ◯ 7825000000

㉑ 432조 5100억 ◯ 사백이십삼조 구천오십억

㉒ 이백팔억 사천팔십삼만 ◯ 280억 1900만

㉓ 31조 257억 ◯ 삼십일조 천삼백만

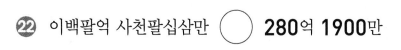

왼쪽과 같은 두 수의 크기 비교는 어떻게 하지?

둘 다 숫자로 나타낸 후 두 수의 크기를 비교하면 돼.

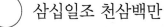

1

큰 수

27

수의 크기 비교

🐻 더 큰 수에 ◯표 하세요.

1

1억 1700만	
9870만	

2

2134500	
213만 5000	

3

7280조	
7300조	

4

12340000000	
98억 6000만	

5

517만 110	
517만 80	

6

36억 7428만	
37억 150만	

🐻 가장 큰 수에 ◯표, 가장 작은 수에 △표 하세요.

7

648만 2710

6482723

648만 3000

(   )   (   )   (   )

8

30억 1100만

30억 420만

30억 423만

(   )   (   )   (   )

생활 속 문제

어느 놀이공원에서 1년 동안 놀이기구를 이용한 사람 수를 조사하여 나타낸 것입니다. 이용한 사람 수를 비교하여 ○ 안에 >, <를 알맞게 써넣으세요.

회전 컵	정글탐험 보트	허리케인
102만 5742명	986977명	1246502명

9 회전 컵 ◯ 허리케인

10 정글탐험 보트 ◯ 회전 컵

문장 읽고 문제 해결하기

11 724000과 2560000 중 더 큰 수는?

답 _____

12 785000과 786000 중 더 큰 수는?

답 _____

13 104억 75만과 110억 40만 중 더 작은 수는?

답 _____

14 16조 800억과 16조 920만 중 더 작은 수는?

답 _____

15 180만 원인 냉장고와 127만 원인 노트북 중 가격이 더 높은 전자 제품은?

답 _____

16 105만 원인 세탁기와 1135000원인 텔레비전 중 가격이 더 낮은 전자 제품은?

답 _____

🐻 ⬜ 안에 알맞은 수를 써넣으세요.

1 10000이 2개 ⌐
　　1000이 5개
　　100이 8개 ➡ ⬜
　　10이 1개
　　1이 7개 ⌐

2 10000이 7개 ⌐
　　1000이 4개
　　100이 2개 ➡ ⬜
　　10이 8개
　　1이 3개 ⌐

3 만이 20개, 일이 1500개인 수
➡ ⬜

4 억이 11개, 만이 200개인 수
➡ ⬜

5 조가 2개, 억이 320개, 만이 2500개인 수
➡ ⬜

6 조가 460개, 억이 1620개, 일이 89개인 수
➡ ⬜

🐻 수를 쓰거나 읽어 보세요.

7 이십팔억 육십오만
쓰기 ＿＿＿＿＿＿＿＿＿＿

8 61409
읽기 ＿＿＿＿＿＿＿＿＿＿

9 오백일조 삼억 이십만
쓰기 ＿＿＿＿＿＿＿＿＿＿

10 328950
읽기 ＿＿＿＿＿＿＿＿＿＿

🐻 규칙에 따라 뛰어 세어 보세요.

⑪ | 24610 | 34610 | 44610 | | |

⑫ | 400억 | 500억 | | | 800억 |

⑬ | 100조 | | 140조 | 160조 | |

⑭ | 7955만 | | 8155만 | 8255만 | |

🐻 두 수의 크기를 비교하여 ○ 안에 >, =, <를 알맞게 써넣으세요.

⑮ 69540 ◯ 70000

⑯ 23억 7000만 ◯ 100억

⑰ 2조 7341억 ◯ 2조 6500억

⑱ 5500만 ◯ 5480만

⑲ 9370만 ◯ 1억 300만

⑳ 4억 5431만 ◯ 4억 5431

1
큰
수

31

제한 시간 안에 정확하게
모두 풀었다면 여러분은 진정한 **계산왕!**

문장제 문제 도전하기

1 　10000이 2개, 1000이 5개, 100이 6개인 수

　→ [　　　　　]

이 다섯 자리 수는 실생활에서 어떤 상황에 이용될까요?

→ 윤호는 10000원짜리 지폐 2장, 1000원짜리 지폐 5장, 100원짜리 동전 6개를 모았습니다. 윤호가 모은 돈은 모두 얼마일까요?

답 ＿＿＿＿＿＿＿＿ 원

2 　350만

　→ 만이 [　　　] 개인 수

→ 350만 원을 만 원(10000)짜리 지폐로 모두 바꾸려고 합니다. 만 원짜리 지폐 몇 장으로 바꿀 수 있을까요?

답 ＿＿＿＿＿＿＿＿ 장

3 　가: 971000
　　나: 1250000

　→ 더 큰 수: [　　]

→ 가 마을의 인구는 971000명이고, 나 마을의 인구는 1250000명입니다. 가와 나 마을 중 인구가 더 많은 마을은 어디일까요?

답 ＿＿＿＿＿＿＿＿ 마을

문장을 읽고 문제를 해결하여 답을 구해 보자!

4 어느 회사의 지난달 매출액은 삼억 칠천오백만 원입니다.
매출액을 수로 써 보세요.

답 _____ 원

5 재민이의 통장에 **560000**원이 있습니다.
매달 만 원()씩 저금하면 **4**개월 후 재민이의 통장에 들어 있는 돈은 얼마가 되는지 뛰어 세어 구하세요.

현재	1개월 후	2개월 후	3개월 후	4개월 후
560000				

답 _____ 원

6 어느 공장의 인형별 생산량입니다.
가장 많이 만든 인형을 찾아 기호를 써 보세요.

가   나   다

559410개   오십육만 사천 개   560850개

답 _____

1
큰
수

33

창의·융합·코딩·도전하기

비밀번호를 맞혀라!

창의 1 휴대전화의 비밀번호를 구하세요.

<비밀번호 힌트>

① 57013474의 만의 자리 숫자 → ☐

② 52391058의 백만의 자리 숫자 → ☐

③ 1485760000의 억의 자리 숫자 → ☐

④ 172810436100000의 십조의 자리 숫자 → ☐

휴대전화의 비밀번호는

①	②	③	④
☐	☐	☐	☐

이에요.

올해 우리나라 인구는 얼마인지 수를 읽어 보세요.

올해 우리나라 인구는 51821669명으로 세계에서 28번째로 많습니다.

답 _____ 명

융합 3 태양에서 각 행성까지의 거리를 나타낸 것입니다.
태양에서 가까운 순서대로 행성의 이름을 써 보세요.

지구	토성	금성
1억 4960만 km	1427000000 km	1억 820만 km

 _____

② 각 도

이번에 **배울 내용**을 알아볼까요?

1일차 각도의 합

2일차 각도의 차

3일차 삼각형의 세 각의 크기의 합

4일차 사각형의 네 각의 크기의 합

각도의 합

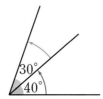

각도의 합은 자연수의 덧셈과
같은 방법으로 계산해요.

$40 + 30 = 70$ ➡ $40° + 30° = 70°$

각도의 합을 구하세요.

2

각
도

38

①

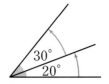

$20° + 30° =$ [   ]$°$

②

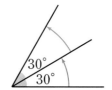

$30° + 30° =$ [   ]$°$

③

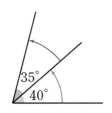

$40° + 35° =$ [   ]$°$

④

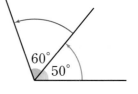

$50° + 60° =$ [   ]$°$

⑤

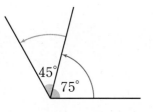

$75° + 45° =$ [   ]$°$

⑥

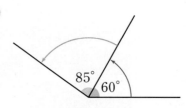

$60° + 85° =$ [   ]$°$

⑦ $10° + 20° = \boxed{}°$

⑧ $40° + 15° = \boxed{}°$

계산 결과에 단위(°)를
꼭 붙여야 해요.

⑨ $80° + 60° = \boxed{}°$

⑩ $35° + 50° = \boxed{}°$

⑪ $100° + 20° = \boxed{}°$

⑫ $70° + 80° = \boxed{}°$

⑬ $45° + 25° = \boxed{}°$

⑭ $80° + 135° = \boxed{}°$

⑮ $120° + 140° = \boxed{}°$

⑯ $95° + 25° = \boxed{}°$

⑰ $33° + 47° = \boxed{}°$

⑱ $26° + 135° = \boxed{}°$

⑲ $172° + 13° = \boxed{}°$

⑳ $97° + 45° = \boxed{}°$

2

각
도

각도의 합

🐻 두 각도의 합을 구하세요.

1 50° 30° → [ ]° **2** 70° 60° → [ ]°

3 110° 130° → [ ]° **4** 120° 40° → [ ]°

5 105° 15° → [ ]° **6** 115° 55° → [ ]°

7 130° 35° → [ ]° **8** 75° 45° → [ ]°

🐻 관계있는 것끼리 선으로 이어 보세요.

9 80°+40° · · 115°   **10** 90°+15° · · 125°

70°+45° · · 120°   80°+35° · · 105°

65°+60° · · 125°   55°+70° · · 115°

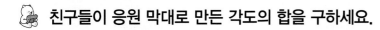

플러스 계산 연습

생활 속 계산

🐻 친구들이 응원 막대로 만든 각도의 합을 구하세요.

38° 가은

95° 재헌

115° 윤아

134° 현우

52° 나현

82° 호영

11 (가은)+(호영)

➡ $38° + 82° = $ ☐°

12 (재헌)+(윤아)

➡ $95° + 115° = $ ☐°

13 (현우)+(나현)

➡ $134° + $ ☐° $= $ ☐°

14 (가은)+(나현)

➡ $38° + $ ☐° $= $ ☐°

문장 읽고 계산식 세우기

15 120°보다 30°만큼 더 큰 각도는?

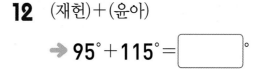

식 　$120° + $ ☐° $= $ ☐°

16 95°보다 25°만큼 더 큰 각도는?

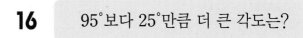

식 　$95° + $ ☐° $= $ ☐°

17 직각보다 40°만큼 더 큰 각도는?

식 　☐° $+ $ ☐° $= $ ☐°

18 직각보다 35°만큼 더 큰 각도는?

식 　☐° $+ $ ☐° $= $ ☐°

각도의 차

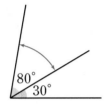

각도의 차는 자연수의 뺄셈과
같은 방법으로 계산해요.

80−30=50 ➔ 80°−30°=50°

각도의 차를 구하세요.

2
각
도

42

1
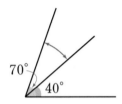

70°−40°= □ **°**

2
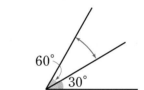

60°−30°= □ **°**

3
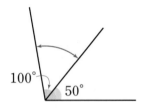

100°−50°= □ **°**

4
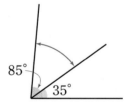

85°−35°= □ **°**

5
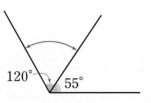

120°−55°= □ **°**

6
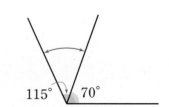

115°−70°= □ **°**

⑦ $50° - 10° = \boxed{}°$

⑧ $30° - 15° = \boxed{}°$

받아내림에 주의하여
계산해요.

⑨ $45° - 15° = \boxed{}°$

⑩ $70° - 20° = \boxed{}°$

⑪ $90° - 75° = \boxed{}°$

⑫ $155° - 110° = \boxed{}°$

2

각
도

⑬ $100° - 20° = \boxed{}°$

⑭ $85° - 45° = \boxed{}°$

⑮ $130° - 90° = \boxed{}°$

⑯ $100° - 15° = \boxed{}°$

43

⑰ $60° - 26° = \boxed{}°$

⑱ $120° - 35° = \boxed{}°$

⑲ $95° - 68° = \boxed{}°$

⑳ $110° - 47° = \boxed{}°$

각도의 차

🐻 두 각도의 차를 구하세요.

1 30° 60° → ☐° **2** 100° 70° → ☐°

3 45° 15° → ☐° **4** 65° 90° → ☐°

5 135° 115° → ☐° **6** 145° 180° → ☐°

7 65° 125° → ☐° **8** 140° 115° → ☐°

🐻 관계있는 것끼리 선으로 이어 보세요.

9

70°−25° ·   · 50°

85°−35° ·   · 60°

70°−10° ·   · 45°

10

165°−110° ·   · 60°

145°−105° ·   · 40°

155°−95° ·   · 55°

생활 속 계산

🐻 시계의 긴바늘과 짧은바늘이 이루는 작은 쪽의 각도입니다. 두 각도의 차를 구하세요.

11

$90° - 30° = \boxed{}°$

12

$150° - 60° = \boxed{}°$

13

$150° - \boxed{}° = \boxed{}°$

14

$180° - \boxed{}° = \boxed{}°$

문장 읽고 계산식 세우기

15 85°보다 15°만큼 더 작은 각도는?

식 $85° - \boxed{}° = \boxed{}°$

16 100°보다 35°만큼 더 작은 각도는?

식 $100° - \boxed{}° = \boxed{}°$

17 직각보다 20°만큼 더 작은 각도는?

식 $\boxed{}° - \boxed{}° = \boxed{}°$

18 직각보다 45°만큼 더 작은 각도는?

식 $\boxed{}° - \boxed{}° = \boxed{}°$

③ _{일차} 삼각형의 세 각의 크기의 합

이렇게 해결하자

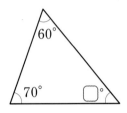

삼각형의 세 각의 크기의
합은 $180°$이니까 $180°$에서
두 각을 빼서 구해요.

$$\square° = 180° - 60° - 70°$$
$$= 50°$$

2
각
도

□ 안에 알맞은 수를 써넣으세요.

1
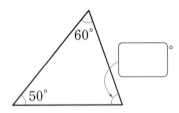

2
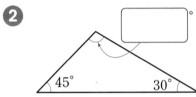

46

3
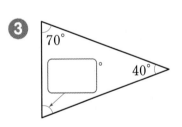

4
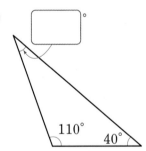

5
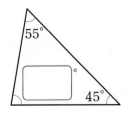

6
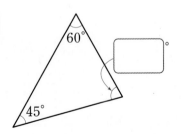

삼각형의 두 각이 다음과 같을 때 나머지 한 각의 크기를 구하세요.

7 　30°, 80°　→　□°

8 　70°, 50°　→　□°

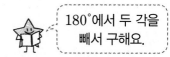
180°에서 두 각을
빼서 구해요.

9 　65°, 25°　→　□°

10 　100°, 20°　→　□°

11 　110°, 35°　→　□°

12 　50°, 55°　→　□°

13 　25°, 70°　→　□°

14 　65°, 65°　→　□°

15 　90°, 50°　→　□°

16 　60°, 105°　→　□°

17 　40°, 25°　→　□°

18 　35°, 45°　→　□°

2

각
도

47

삼각형의 세 각의 크기의 합

🐻 삼각형에서 ㉠과 ㉡의 각도의 합을 구하세요.

1

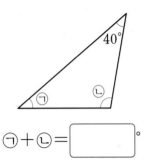

㉠＋㉡＝ [　　　　] °

2

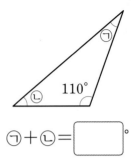

㉠＋㉡＝ [　　　　] °

3

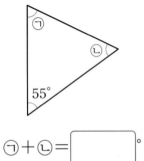

㉠＋㉡＝ [　　　　] °

4

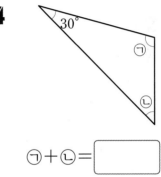

㉠＋㉡＝ [　　　　] °

🐻 삼각형의 세 각의 크기가 될 수 <u>없는</u> 것을 찾아 ×표 하세요.

5

60°, 35°, 85°	75°, 50°, 65°	20°, 40°, 120°
(　　　　)	(　　　　)	(　　　　)

6

30°, 90°, 70°	65°, 45°, 70°	55°, 75°, 50°
(　　　　)	(　　　　)	(　　　　)

7

35°, 35°, 110°	70°, 50°, 60°	65°, 25°, 80°
(　　　　)	(　　　　)	(　　　　)

플러스 계산 연습

생활 속 계산

🐻 삼각형 모양의 종이에서 잘린 한 각의 크기를 구하세요.

8

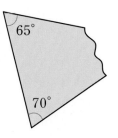

$180° - 65° - 70° = \boxed{}°$

9

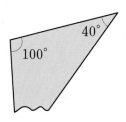

$180° - 100° - 40° = \boxed{}°$

10

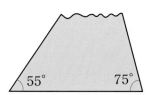

$180° - 55° - \boxed{}° = \boxed{}°$

11

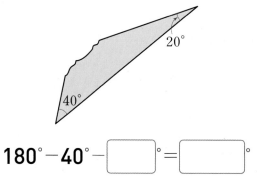

$180° - 40° - \boxed{}° = \boxed{}°$

문장 읽고 계산식 세우기

12 두 각이 각각 85°, 40°인 삼각형의 나머지 한 각의 크기는?

식 $180° - 85° - \boxed{}° = \boxed{}°$

13 두 각이 각각 105°, 30°인 삼각형의 나머지 한 각의 크기는?

식 $180° - \boxed{}° - 30° = \boxed{}°$

14 한 각이 150°인 삼각형의 나머지 두 각의 크기의 합은?

식 $180° - \boxed{}° = \boxed{}°$

15 한 각이 75°인 삼각형의 나머지 두 각의 크기의 합은?

식 $180° - \boxed{}° = \boxed{}°$

사각형의 네 각의 크기의 합

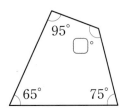

사각형의 네 각의 크기의 합은 360°이니까 360°에서 세 각을 빼서 구해요.

$$\square° = 360° - 95° - 65° - 75°$$
$$= 125°$$

🐻 ☐ 안에 알맞은 수를 써넣으세요.

1

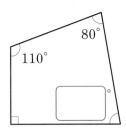

2

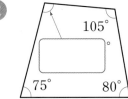

3

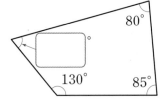

4

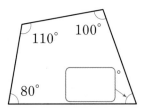

5

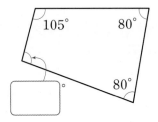

6

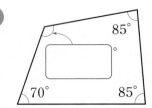

2

각
도

기초 계산 연습

🐻 사각형의 세 각이 다음과 같을 때 나머지 한 각의 크기를 구하세요.

7 60°, 85°, 70° → ☐°

8 95°, 100°, 40° → ☐°

360°에서 세 각을 빼서 구해요.

9 120°, 60°, 40° → ☐°

10 60°, 70°, 120° → ☐°

11 125°, 105°, 90° → ☐°

12 110°, 75°, 50° → ☐°

13 130°, 90°, 20° → ☐°

14 70°, 30°, 115° → ☐°

15 145°, 75°, 80° → ☐°

16 80°, 145°, 35° → ☐°

17 55°, 40°, 130° → ☐°

18 105°, 65°, 125° → ☐°

사각형의 네 각의 크기의 합

🐻 사각형에서 ㉠과 ㉡의 각도의 합을 구하세요.

1
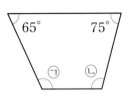
65° 75°
㉠ ㉡

㉠＋㉡＝[ ]°

2
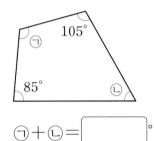
㉠ 105°
85° ㉡

㉠＋㉡＝[ ]°

3
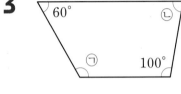
60° ㉡
㉠ 100°

㉠＋㉡＝[ ]°

4
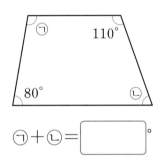
㉠ 110°
80° ㉡

㉠＋㉡＝[ ]°

🐻 사각형의 네 각의 크기가 될 수 <u>없는</u> 것을 찾아 ✕표 하세요.

5   100°, 45°, 135°, 80°   70°, 75°, 100°, 115°   120°, 75°, 95°, 60°

( )   ( )   ( )

6   65°, 90°, 125°, 80°   130°, 100°, 20°, 120°   140°, 120°, 75°, 25°

( )   ( )   ( )

7   80°, 90°, 105°, 85°   140°, 50°, 115°, 55°   125°, 45°, 40°, 140°

( )   ( )   ( )

생활 속 문제

🐻 사각형 모양의 색종이를 다음과 같이 잘랐을 때 잘라 낸 조각을 찾아 ⬜ 안에 기호를 써넣으세요.

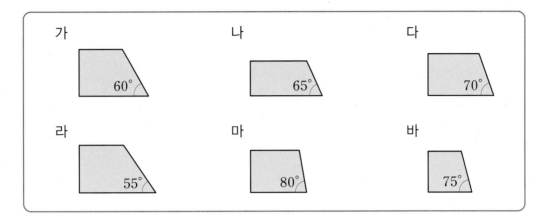

8 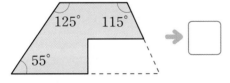 ➡ ⬜

9 ➡ ⬜

10 ➡ ⬜

11 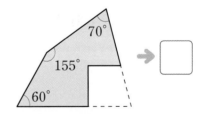 ➡ ⬜

문장 읽고 계산식 세우기

12
> 세 각이 각각 105°, 80°, 145°인
> 사각형의 나머지 한 각의 크기는?

식 $360° - 105° - 80° - 145° = $ ⬜ °

13
> 세 각이 각각 60°, 135°, 115°인
> 사각형의 나머지 한 각의 크기는?

식 $360° - 60° - 135° - 115° = $ ⬜ °

제한 시간 10분

🐻 각도의 합과 차를 구하세요.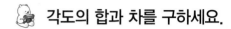

① 40°+50°

② 30°+45°

③ 20°+130°

④ 90°+35°

⑤ 105°+15°

⑥ 85°+75°

2
각
도

⑦ 55°+60°

⑧ 90°−30°

⑨ 160°−40°

54

⑩ 60°−25°

⑪ 95°−35°

⑫ 115°−75°

⑬ 130°−70°

⑭ 180°−75°

⑮ 100°−45°

▶정답과 해설 **7**쪽

 □ 안에 알맞은 수를 써넣으세요.

16
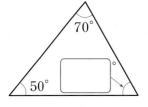

17
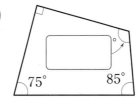

18
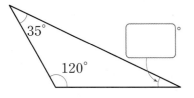

19
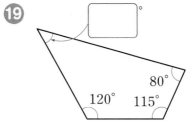

20
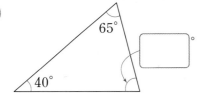

21
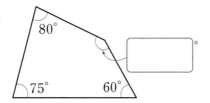

22

23
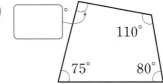

24
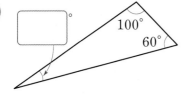

25
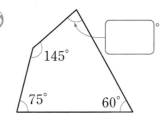

제한 시간 안에 정확하게
모두 풀었다면 여러분은 진정한 **계산왕!**

2

각
도

55

문장제 문제 도전하기

1 $85° + 20° = \boxed{}°$

이 각도의 합이 실생활에서 어떤 상황에 이용될까요?

서준이는 **85°**보다 **20°**만큼 더 큰 각을 그렸습니다. 서준이가 그린 각의 크기는 몇 도일까요?

식 $\boxed{}° + \boxed{}° = \boxed{}°$

답 _____

2 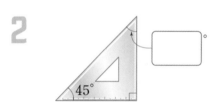 $\boxed{}°$

45°

두 각이 각각 **45°**, **90°**인 직각 삼각자가 있습니다. 나머지 한 각의 크기는 몇 도일까요?

식 $180° - \boxed{}° - \boxed{}° = \boxed{}°$

답 _____

3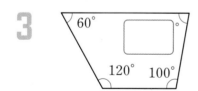
60°
120° 100°

재민이는 세 각이 각각 **60°**, **120°**, **100°**인 사각형을 그렸습니다. 재민이가 그린 사각형의 나머지 한 각의 크기는 몇 도일까요?

식 $360° - 60° - 120° - \boxed{}° = \boxed{}°$

답 _____

문장을 읽고 알맞은 식을 세워 답을 구해 보자!

4 대화를 읽고 건우가 그린 각의 크기는 몇 도인지 구하세요.

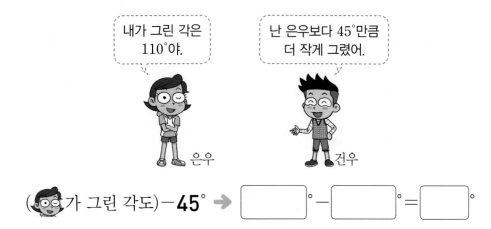

내가 그린 각은 110°야.

난 은우보다 45°만큼 더 작게 그렸어.

은우

건우

(🙂가 그린 각도) − **45°** ➡ □° − □° = □°

5 삼각형을 잘라서 세 꼭짓점이 한 점에 모이도록 겹치지 않게 이어 붙였습니다.
㉠의 각도를 구하세요.

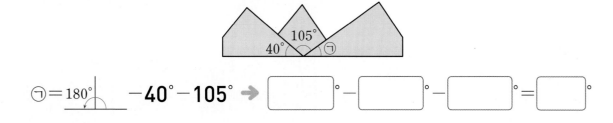

105°

40° ㉠

㉠ = 180° − **40°** − **105°** ➡ □° − □° − □° = □°

6 두 각이 각각 **120°**, **35°**인 사각형이 있습니다.
이 사각형의 나머지 두 각의 크기의 합을 구하세요.

□° − □° − □° = □°

창의·융합·코딩·도전하기

도둑맞은 물건을 찾아라!

창의 1   보석상에 도둑이 들었습니다. 보석상에서 도둑맞은 물건은 무엇인지 구하세요.

 ①과 ②의 계산 결과에 해당하는 글자를 찾으면 훔쳐간 물건을 알 수 있어.

85°	100°	90°	80°	75°
찌	반	팔	발	지

도둑맞은 물건은 [①] [②] 야.

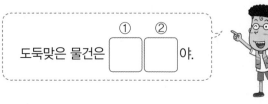

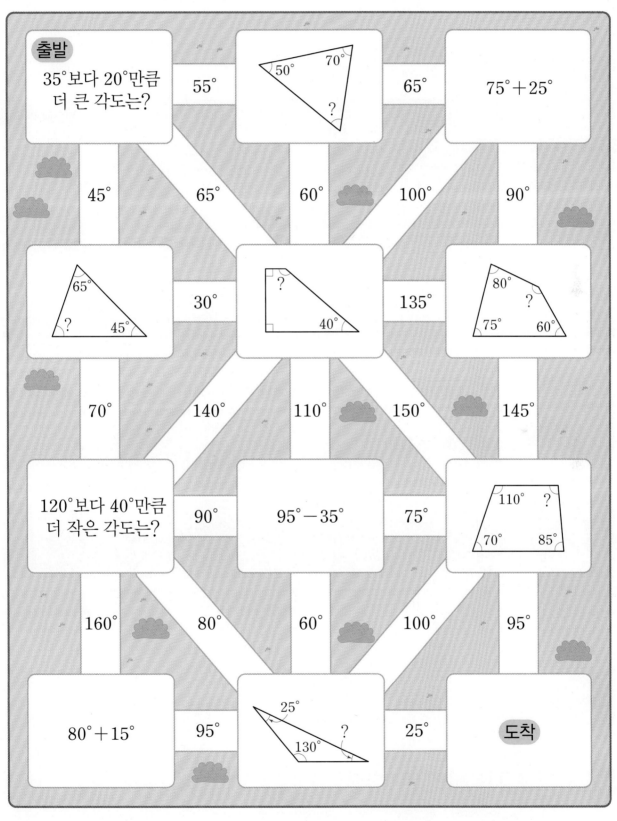

창의 2   주어진 문제에 알맞은 답을 따라 미로를 통과해 보세요.

③ 곱 셈

 실생활에서 알아보는 재미있는 수학 이야기

1일차 ~ **3일차** (세 자리 수)×(몇십)
4일차 ~ **5일차** (세 자리 수)×(두 자리 수)
6일차 ~ **7일차** (두 자리 수)×(세 자리 수)
8일차 세 수의 곱셈

(몇백)×(몇십)

🐻 계산해 보세요.

①

		2	0	0
×			6	0

②

		6	0	0
×			3	0

③

		7	0	0
×			2	0

④

		3	0	0
×			8	0

⑤

		5	0	0
×			5	0

⑥

		2	0	0
×			8	0

⑦

		7	0	0
×			4	0

⑧

		6	0	0
×			8	0

⑨

		9	0	0
×			3	0

⑩

		2	0	0
×			5	0

⑪

		4	0	0
×			3	0

⑫

		7	0	0
×			5	0

⑬
```
      3 0 0
×       7 0
```

⑭
```
      4 0 0
×       8 0
```

⑮
```
      2 0 0
×       9 0
```

⑯
```
      7 0 0
×       6 0
```

⑰
```
      8 0 0
×       8 0
```

⑱
```
      4 0 0
×       9 0
```

⑲ 400 × 50 =

자리를 잘 맞추어
세로로 쓰고
계산해요.

⑳ 600 × 60 =

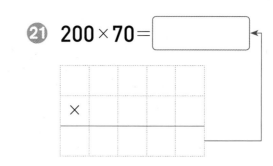

㉑ 200 × 70 =

㉒ 900 × 50 =

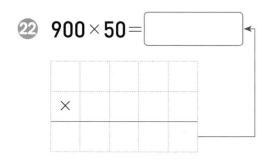

㉓ 800 × 70 =

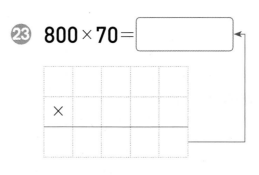

(몇백)×(몇십)

 계산해 보세요.

1 $300 \times 40 =$ ☐

2 $500 \times 70 =$ ☐

3 $700 \times 70 =$ ☐

4 $400 \times 60 =$ ☐

5 $600 \times 80 =$ ☐

6 $700 \times 80 =$ ☐

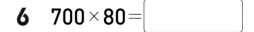 빈칸에 두 수의 곱을 써넣으세요.

7

500	40

8

600	20

9

400	70

10

700	30

11

900	60

12

800	90

생활 속 계산

각 게임을 한 사람이 한 번 하는 데 필요한 돈을 나타낸 것입니다. 주어진 사람이 각각 한 번씩 게임을 할 때 필요한 돈은 얼마인지 구하세요.

13

$400 \times 30 =$ [   ](원)

14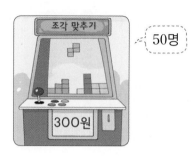

$300 \times 50 =$ [   ](원)

15

$500 \times$ [   ] $=$ [   ](원)

16

$700 \times$ [   ] $=$ [   ](원)

3

곱
셈

65

문장 읽고 계산식 세우기

17 한 개에 300원인 지우개 60개의 값은?

식 $300 \times$ [   ] $=$ [   ](원)

18 한 자루에 800원인 연필 40자루의 값은?

식 $800 \times$ [   ] $=$ [   ](원)

19 한 묶음에 200장씩 70묶음에 묶여 있는 색종이는 모두 몇 장?

식 [   ] $\times 70 =$ [   ](장)

20 한 상자에 500개씩 90상자에 들어 있는 탁구공은 모두 몇 개?

식 [   ] $\times 90 =$ [   ](개)

(몇백몇십)×(몇십)

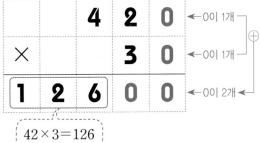

42×3=126

(몇십몇)×(몇)의 값에
0을 2개 붙여요.

🐻 계산해 보세요.

3
곱
셈

①
```
    3 1 0
  ×   2 0
```

②
```
    1 2 0
  ×   5 0
```

③
```
    2 1 0
  ×   3 0
```

④
```
    5 3 0
  ×   2 0
```

⑤
```
    4 1 0
  ×   6 0
```

⑥
```
    2 4 0
  ×   7 0
```

⑦
```
    3 2 0
  ×   4 0
```

⑧
```
    6 8 0
  ×   4 0
```

⑨
```
    7 1 0
  ×   8 0
```

⑩
```
    2 6 0
  ×   4 0
```

⑪
```
    7 2 0
  ×   6 0
```

⑫
```
    8 3 0
  ×   5 0
```

66

⑬
```
    5 2 0
×     3 0
```

⑭
```
    8 3 0
×     2 0
```

⑮
```
    4 1 0
×     7 0
```

⑯
```
    6 5 0
×     3 0
```

⑰
```
    3 9 0
×     8 0
```

⑱
```
    4 3 0
×     4 0
```

⑲ 350 × 30 =

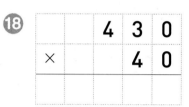

자리를 잘 맞추어
세로로 쓰고 올림에
주의하여 계산해요.

3

곱
셈

67

⑳ 330 × 70 =

㉑ 520 × 40 =

㉒ 210 × 60 =

㉓ 380 × 30 =

(몇백몇십)×(몇십)

계산해 보세요.

1 160×60= ☐

2 510×30= ☐

3 420×40= ☐

4 220×90= ☐

5 710×50= ☐

6 650×60= ☐

3

곱
셈

빈칸에 알맞은 수를 써넣으세요.

7
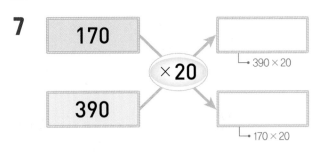

8
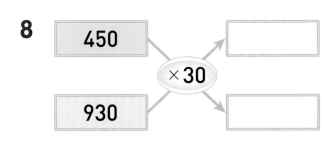

9

10
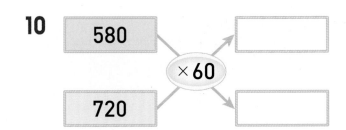

플러스 계산 연습

생활 속 계산

🐻 빵 한 개를 만드는 데 필요한 밀가루의 양을 나타낸 것입니다. 주어진 빵 50개를 만들기 위해 필요한 밀가루의 양을 구하세요.

11

$210 \times 50 = \boxed{}$ (g)

12

$360 \times 50 = \boxed{}$ (g)

13

$\boxed{} \times 50 = \boxed{}$ (g)

14

$\boxed{} \times 50 = \boxed{}$ (g)

문장 읽고 계산식 세우기

15 250 mL짜리 우유 40갑의 양은?

식 $250 \times 40 = \boxed{}$ (mL)

16 380 mL짜리 주스 30병의 양은?

식 $380 \times 30 = \boxed{}$ (mL)

17 한 봉지에 170개씩 30봉지에 들어 있는 구슬은 모두 몇 개?

식 $170 \times \boxed{} = \boxed{}$ (개)

18 한 상자에 140개씩 60상자에 들어 있는 딸기는 모두 몇 개?

식 $140 \times \boxed{} = \boxed{}$ (개)

(세 자리 수)×(몇십)

```
        2 1 4
  ×       6 0
  1 2 8 4 0
```

214×6=1284

(세 자리 수)×(몇)의 값에
0을 1개 붙여요.

🐻 계산해 보세요.

①
```
    1 4 6
  ×   2 0
```

②
```
    1 5 3
  ×   3 0
```

③
```
    2 2 8
  ×   4 0
```

④
```
    3 0 4
  ×   4 0
```

⑤
```
    5 1 4
  ×   2 0
```

⑥
```
    3 2 3
  ×   7 0
```

⑦
```
    1 8 2
  ×   8 0
```

⑧
```
    2 4 6
  ×   5 0
```

⑨
```
    4 5 1
  ×   7 0
```

⑩
```
    3 5 4
  ×   6 0
```

⑪
```
    6 5 5
  ×   4 0
```

⑫
```
    8 0 3
  ×   7 0
```

⑬
```
      3 5 3
×       3 0
```

⑭
```
      2 1 8
×       9 0
```

⑮
```
      5 2 3
×       3 0
```

⑯
```
      6 1 9
×       4 0
```

⑰
```
      4 8 2
×       3 0
```

⑱
```
      7 2 5
×       2 0
```

⑲ 425×30 =

```
×
```

자리를 잘 맞추어
세로로 쓰고 올림에
주의하여 계산해요.

⑳ 245×60 =

```
×
```

㉑ 914×20 =

```
×
```

㉒ 705×40 =

```
×
```

㉓ 681×50 =

```
×
```

(세 자리 수)×(몇십)

 계산해 보세요.

1 $217 \times 40 = \boxed{}$

2 $324 \times 20 = \boxed{}$

3 $604 \times 70 = \boxed{}$

4 $713 \times 30 = \boxed{}$

5 $526 \times 40 = \boxed{}$

6 $814 \times 50 = \boxed{}$

 빈칸에 알맞은 수를 써넣으세요.

7
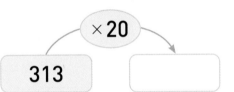
313 ×20

8
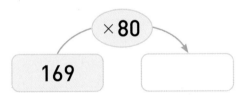
169 ×80

9
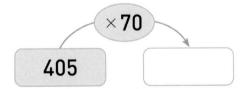
405 ×70

10
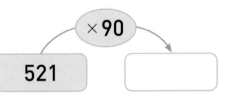
521 ×90

11
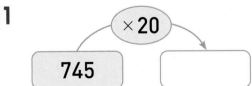
745 ×20

12
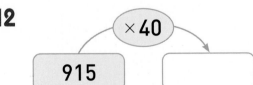
915 ×40

생활 속 계산

한 상자에 들어 있는 학용품의 수를 보고 각 학용품은 모두 몇 개인지 구하세요.

학용품				
개수	505자루	216개	155개	654개

13  20상자

$505 \times 20 =$ [   ] (자루)

14  60상자

$216 \times 60 =$ [   ] (개)

15  80상자

$155 \times$ [   ] $=$ [   ] (개)

16  30상자

$654 \times$ [   ] $=$ [   ] (개)

문장 읽고 계산식 세우기

17 자전거로 둘레가 225 m인 호수를 30바퀴 돌았을 때 자전거를 탄 거리는?

식 $225 \times$ [   ] $=$ [   ] (m)

18 자전거로 둘레가 316 m인 운동장을 20바퀴 돌았을 때 자전거를 탄 거리는?

식 $316 \times$ [   ] $=$ [   ] (m)

19 공장에서 하루에 418개씩 40일 동안 만든 인형은 모두 몇 개?

식 [   ] $\times 40 =$ [   ] (개)

20 공장에서 하루에 642개씩 50일 동안 만든 단추는 모두 몇 개?

식 [   ] $\times 50 =$ [   ] (개)

3

곱
셈

73

(세 자리 수)×(두 자리 수)-가로셈

이렇게 해결하자

$$154 \times 20 \quad 154 \times 3$$

$$154 \times 23 = 3080 + 462$$
$$= 3542$$

23을 20과 3의 합으로 생각하여 154에 20과 3을 각각 곱하여 두 곱을 더해요.

📖 계산해 보세요.

❶ 325×20 325×4

$325 \times 24 = \boxed{} + \boxed{}$
$= \boxed{}$

❷ 405×10 405×6

$405 \times 16 = \boxed{} + \boxed{}$
$= \boxed{}$

❸ 223×10 223×8

$223 \times 18 = \boxed{} + \boxed{}$
$= \boxed{}$

❹ 368×30 368×2

$368 \times 32 = \boxed{} + \boxed{}$
$= \boxed{}$

❺ 611×40 611×5

$611 \times 45 = \boxed{} + \boxed{}$
$= \boxed{}$

❻ 709×20 709×1

$709 \times 21 = \boxed{} + \boxed{}$
$= \boxed{}$

기초 계산 연습

▶ 정답과 해설 10쪽

⑦ $576 \times 28 =$ $\boxed{}$ $+$ $\boxed{}$

⟵ 576×20 ⟵ 576×8

$= \boxed{}$

⑧ $732 \times 52 =$ $\boxed{}$ $+$ $\boxed{}$

⟵ 732×50 ⟵ 732×2

$= \boxed{}$

⑨ $824 \times 33 =$ $\boxed{}$ $+$ $\boxed{}$

⟵ 824×30 ⟵ 824×3

$= \boxed{}$

⑩ $935 \times 24 =$ $\boxed{}$ $+$ $\boxed{}$

⟵ 935×20 ⟵ 935×4

$= \boxed{}$

⑪ $407 \times 53 =$ _____

$407 \times 50 =$ _____

$407 \times 3 =$ _____

⑫ $616 \times 34 =$ _____

$616 \times 30 =$ _____

$616 \times 4 =$ _____

⑬ $327 \times 62 =$ _____

$327 \times 60 =$ _____

$327 \times 2 =$ _____

⑭ $921 \times 16 =$ _____

$921 \times 10 =$ _____

$921 \times 6 =$ _____

⑮ $872 \times 28 =$ _____

$872 \times 20 =$ _____

$872 \times 8 =$ _____

⑯ $783 \times 41 =$ _____

$783 \times 40 =$ _____

$783 \times 1 =$ _____

3

곱
셈

(세 자리 수)×(두 자리 수)-가로셈

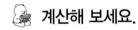 계산해 보세요.

1 335×26 = ☐

2 459×82 = ☐

3 515×34 = ☐

4 625×46 = ☐

5 660×73 = ☐

6 832×54 = ☐

빈칸에 알맞은 수를 써넣으세요.

7

| 173 | 42 | |

8

| 275 | 34 | |

9

| 568 | 62 | |

10

| 630 | 32 | |

11

| 426 | 71 | |

12

| 812 | 54 | |

생활 속 계산

🐻 한 봉지의 양이 다음과 같을 때, 각 동물의 먹이는 모두 몇 g인지 구하세요.

13

16봉지

물고기 먹이 235 g

235 × 16 = ☐ (g)

14

22봉지

토끼 먹이 472 g

472 × 22 = ☐ (g)

15

43봉지

강아지 먹이 776 g

776 × ☐ = ☐ (g)

16

54봉지

고양이 먹이 653 g

653 × ☐ = ☐ (g)

문장 읽고 계산식 세우기

17 한 개의 무게가 228 g인 사과 35개의 무게는?

식 228 × ☐ = ☐ (g)

18 한 개의 무게가 146 g인 야구공 36개의 무게는?

식 146 × ☐ = ☐ (g)

19 한 자루에 372개씩 46자루에 들어 있는 밤은 모두 몇 개?

식 ☐ × 46 = ☐ (개)

20 한 상자에 554개씩 23상자에 들어 있는 지우개는 모두 몇 개?

식 ☐ × 23 = ☐ (개)

(세 자리 수)×(두 자리 수)-세로셈

이렇게 해결하자

```
        1  4  6
   ×       3  5
        7  3  0    ··· 146×5 ┐
   4  3  8  0      ··· 146×30 ┘ ⊕
   5  1  1  0  ←
```

곱하는 수를
일의 자리와 십의 자리로 나누어
곱한 후 두 곱을 더해요.

3

곱셈

계산해 보세요.

①
```
      2  3  7
  ×      4  2
                  ···237×2
                  ···237×40
```

②
```
      1  7  5
  ×      3  1
```

③
```
      5  1  6
  ×      1  3
```

④
```
      3  5  5
  ×      2  6
```

⑤
```
      2  8  0
  ×      3  1
```

⑥
```
      5  4  2
  ×      1  7
```

⑦
```
      1  7  4
  ×      2  9
```

⑧
```
      4  9  3
  ×      1  6
```

⑨
```
      3  6  2
  ×      2  7
```

⑩
```
      7 1 1
×       3 5
```

⑪
```
      3 4 2
×       6 3
```

⑫
```
      4 2 8
×       5 2
```

⑬
```
      6 2 5
×       2 3
```

⑭
```
      5 5 3
×       2 9
```

⑮
```
      8 8 1
×       6 2
```

세로로 쓰고 계산해요.

⑯ 295 × 56 =

⑰ 527 × 45 =

⑱ 436 × 54 =

⑲ 791 × 34 =

(세 자리 수)×(두 자리 수)-세로셈

🐻 계산해 보세요.

1
```
    2 3 7
  ×     1 9
```

2
```
    3 4 7
  ×     4 3
```

3
```
    5 1 2
  ×     2 5
```

4
```
    8 3 0
  ×     5 8
```

5
```
    7 2 1
  ×     6 3
```

6
```
    9 0 5
  ×     7 2
```

🐻 빈칸에 알맞은 수를 써넣으세요.

7 189

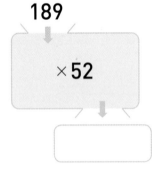

×52

8 418

×35

9 665

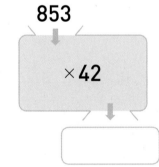

×24

10 853

×42

11 758

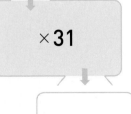

×31

12 964

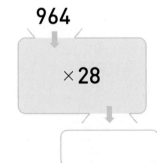

×28

3

곱
셈

생활 속 계산

🐻 음식별 1인분의 열량을 나타낸 것입니다. 주어진 음식의 열량은 모두 몇 kcal인지 각각 구하세요.

음식	떡볶이	햄버거	칼국수
열량(kcal)	260	635	542

음식의 에너지의 양인 열량의 단위를 'kcal'라 쓰고 '킬로칼로리'라고 읽어요.

13  54인분

```
      2 6 0
  ×     5 4
```

→ _____ kcal

14 23인분

```
      6 3 5
  ×     2 3
```

→ _____ kcal

15 35인분

```
      5 4 2
  ×     3 5
```

→ _____ kcal

3

곱셈

81

문장 읽고 계산식 세우기

16 줄넘기를 매일 146번씩 했을 때 28일 동안 한 횟수는 모두 몇 번?

식
```
    1 4 6
  ×   2 8
```

답 _____ 번

17 후프 돌리기를 매일 218번씩 했을 때 33일 동안 한 횟수는 모두 몇 번?

식
```
    2 1 8
  ×   3 3
```

답 _____ 번

(두 자리 수)×(몇백)

			2	**7**
×		**5**	0	0
1	**3**	**5**	0	0

27×5＝135

(두 자리 수)×(몇)의 값에
0을 2개 붙여요.

🐻 계산해 보세요.

3

곱
셈

❶

		2	3
×	6	0	0

❷

		3	7
×	4	0	0

❸

		5	2
×	3	0	0

❹

		3	3
×	7	0	0

❺

		4	9
×	4	0	0

❻

		6	4
×	7	0	0

❼

		4	5
×	5	0	0

❽

		8	3
×	3	0	0

❾

		7	2
×	2	0	0

❿

		5	7
×	3	0	0

⓫

		7	3
×	4	0	0

⓬

		6	7
×	6	0	0

⑬
```
      3 8
×   5 0 0
```

⑭
```
      5 6
×   2 0 0
```

⑮
```
      7 8
×   4 0 0
```

⑯
```
      6 3
×   7 0 0
```

⑰
```
      7 7
×   5 0 0
```

⑱
```
      9 2
×   3 0 0
```

⑲ 43 × 300 =

```
×
```

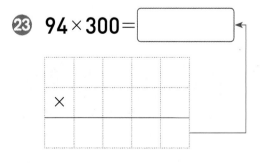

자리를 잘 맞추어
세로로 쓰고 계산해요.

⑳ 67 × 400 =

```
×
```

㉑ 58 × 200 =

```
×
```

㉒ 75 × 600 =

```
×
```

㉓ 94 × 300 =

```
×
```

(두 자리 수)×(몇백)

🐻 계산해 보세요.

1 $37 \times 300 =$ [   ]

2 $29 \times 600 =$ [   ]

3 $53 \times 400 =$ [   ]

4 $81 \times 400 =$ [   ]

3
곱
셈

5 $66 \times 200 =$ [   ]

6 $92 \times 800 =$ [   ]

🐻 빈칸에 알맞은 수를 써넣으세요.

7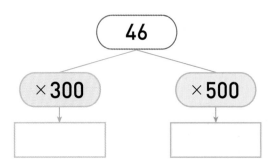

8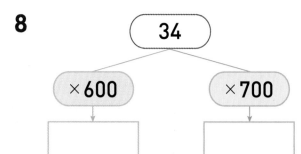

9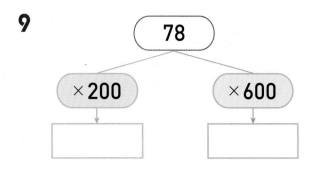

10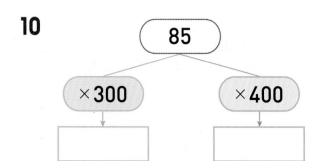

생활 속 계산

🐻 사탕 가게에서 사탕을 샀습니다. 1 g의 가격을 보고 각 사탕의 가격을 구하세요.

11

1 g에 35원

300 g

$35 \times 300 =$ ☐ (원)

12

500 g

$35 \times 500 =$ ☐ (원)

13

1 g에 48원

200 g

$48 \times$ ☐ $=$ ☐ (원)

14

400 g

$48 \times$ ☐ $=$ ☐ (원)

3

곱셈

85

문장 읽고 계산식 세우기

15 한 봉지에 28개씩 500봉지에 들어 있는 젤리는 모두 몇 개?

식 $28 \times$ ☐ $=$ ☐ (개)

16 한 상자에 36개씩 400상자에 들어 있는 초콜릿은 모두 몇 개?

식 $36 \times$ ☐ $=$ ☐ (개)

17 리본을 한 개 만드는 데 끈이 74 cm 필요할 때, 리본을 200개 만드는 데 필요한 끈은 모두 몇 cm?

식 ☐ $\times 200 =$ ☐ (cm)

18 상자를 한 개 포장하는 데 끈이 86 cm 필요할 때, 상자 300개를 포장하는 데 필요한 끈은 모두 몇 cm?

식 ☐ $\times 300 =$ ☐ (cm)

(두 자리 수)×(세 자리 수)

```
            3  2
    ×    5  1  9
         2  8  8     ··· 32×9
         3  2  0     ··· 32×10      ⊕
    1  6  0  0  0     ··· 32×500
    1  6  6  0  8
```

곱하는 수를
백, 십, 일의 자리로 나누어
각각 곱한 후 세 곱을 모두 더해요.

계산해 보세요.

❶
```
         2  6
    ×  5  3  4
```
···26×4
···26×30
···26×500

❷
```
         2  7
    ×  4  6  4
```

❸
```
         5  1
    ×  2  8  7
```

❹
```
         4  6
    ×  6  2  3
```

❺
```
         5  7
    ×  3  2  5
```

❻
```
         8  4
    ×  3  2  1
```

⑦
```
      3 6
×   4 1 4
```

⑧
```
      2 7
× 5 4 3
```

⑨
```
      4 5
× 6 3 2
```

⑩
```
      5 6
× 2 7 3
```

⑪
```
      6 8
× 2 5 7
```

⑫
```
      4 3
× 2 3 8
```

⑬
```
      5 8
× 7 1 4
```

⑭
```
      7 3
× 4 3 8
```

⑮
```
      9 2
× 3 3 8
```

⑯
```
      6 6
× 5 7 3
```

⑰
```
      8 4
× 3 4 5
```

⑱
```
      7 5
× 6 2 2
```

(두 자리 수)×(세 자리 수)

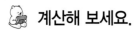 계산해 보세요.

1 27×384= ☐

2 39×775= ☐

3 53×814= ☐

4 96×420= ☐

5 65×339= ☐

6 83×719= ☐

3
곱
셈

🐻 빈칸에 두 수의 곱을 써넣으세요.

7 (13 | 682)

8 (36 | 235)

9 (59 | 273)

10 (68 | 425)

11 (89 | 451)

12 (48 | 326)

생활 속 계산

색 테이프 한 개의 길이를 보고 색 테이프 전체의 길이를 각각 구하세요.

13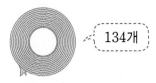

134개

75 cm

$75 \times 134 = \boxed{}$ (cm)

14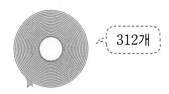

312개

82 cm

$82 \times 312 = \boxed{}$ (cm)

15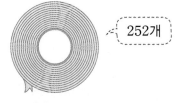

252개

96 cm

$96 \times \boxed{} = \boxed{}$ (cm)

16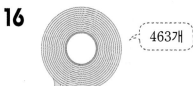

463개

87 cm

$87 \times \boxed{} = \boxed{}$ (cm)

3

곱
셈

89

문장 읽고 계산식 세우기

17 한 개에 24 g인 사탕 128개의 무게는 몇 g?

식 $24 \times \boxed{} = \boxed{}$ (g)

18 한 개에 56 g인 초콜릿 209개의 무게는 몇 g?

식 $56 \times \boxed{} = \boxed{}$ (g)

19 한 상자에 18개씩 326상자에 들어 있는 도넛은 모두 몇 개?

식 $\boxed{} \times 326 = \boxed{}$ (개)

20 한 상자에 22개씩 412상자에 들어 있는 과자는 모두 몇 개?

식 $\boxed{} \times 412 = \boxed{}$ (개)

세 수의 곱셈

• 27 × 9 × 52의 계산

	2	7
×		9
2	4	3

		2	4	3
×			5	2
		4	8	6
1	2	1	5	0
1	2	6	3	6

앞에서부터 차례로 계산해요.

계산해 보세요.

❶ 34 × 7 × 63 =

	3	4
×		7

×			6	3

❷ 51 × 8 × 43 =

	5	1
×		8

×			4	3

❸ 68 × 5 × 46 =

	6	8
×		5

×			4	6

❹ 73 × 6 × 25 =

	7	3
×		6

×			2	5

⑤ $47 \times 8 \times 51 =$ ☐

		4	7
	×		8

	×		5	1

⑥ $95 \times 3 \times 73 =$ ☐

		9	5
	×		3

	×		7	3

⑦ $56 \times 4 \times 67 =$ ☐

		5	6
	×		4

	×		6	7

⑧ $85 \times 5 \times 42 =$ ☐

		8	5
	×		5

	×		4	2

⑨ $69 \times 4 \times 73 =$ ☐

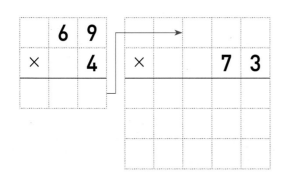

⑩ $93 \times 4 \times 55 =$ ☐

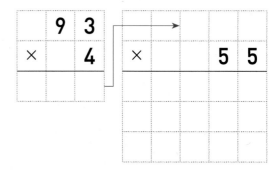

세 수의 곱셈

🐻 ☐ 안에 알맞은 수를 써넣으세요.

1 $38 \times 7 \times 53 =$ ☐

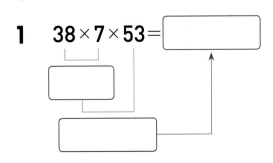

2 $59 \times 6 \times 71 =$ ☐

3 $92 \times 6 \times 47 =$ ☐

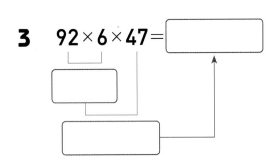

4 $74 \times 4 \times 66 =$ ☐

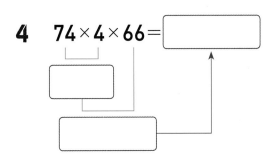

3 곱셈

🐻 빈칸에 알맞은 수를 써넣으세요.

5 $\times 7$ — $\times 76$

| 45 | |

6 $\times 8$ — $\times 62$

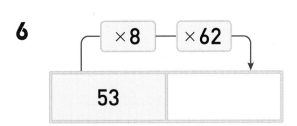

| 53 | |

7 $\times 4$ — $\times 56$

| 69 | |

8 $\times 5$ — $\times 63$

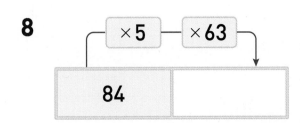

| 84 | |

플러스 계산 연습

생활 속 계산

자전거 경주를 할 수 있는 4종류의 트랙이 있습니다. 트랙의 종류와 도는 횟수를 보고 참가한 선수들이 돈 총 거리를 구하세요.

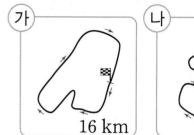

가
16 km

나
24 km

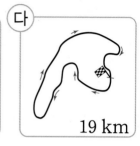

다
19 km

라
27 km

9 가 8바퀴×35명

$16 \times 8 \times 35 =$ ⬚ (km)

10 나 7바퀴×63명

$24 \times 7 \times 63 =$ ⬚ (km)

11 다 9바퀴×74명

⬚ km

12 라 6바퀴×86명

⬚ km

문장 읽고 계산식 세우기

13
한 봉지에 12 g짜리 체리가 9개 들어 있을 때 26봉지에 들어 있는 체리는 모두 몇 g?

식 $12 \times$ ⬚ $\times 26 =$ ⬚ (g)

14
한 봉지에 46 g짜리 딸기가 8개 들어 있을 때 22봉지에 들어 있는 딸기는 모두 몇 g?

식 $46 \times$ ⬚ $\times 22 =$ ⬚ (g)

15
색종이가 한 상자에 36장씩 6묶음이 들어 있을 때 42상자에 들어 있는 색종이는 모두 몇 장?

식 $36 \times 6 \times$ ⬚ $=$ ⬚ (장)

16
수수깡이 한 상자에 45개씩 6묶음이 들어 있을 때 24상자에 들어 있는 수수깡은 모두 몇 개?

식 $45 \times 6 \times$ ⬚ $=$ ⬚ (개)

3

곱
셈

🐻 계산해 보세요.

①
```
    2 0 0
  ×   7 0
```

②
```
    4 5 0
  ×   3 0
```

③
```
    3 3 7
  ×   4 0
```

④
```
    5 2 6
  ×   6 0
```

⑤
```
    4 6 5
  ×   2 4
```

⑥
```
    6 1 3
  ×   3 7
```

⑦
```
      2 7
  ×  6 0 0
```

⑧
```
      5 2
  ×  3 1 8
```

⑨
```
      7 3
  ×  2 3 6
```

⑩ 800×30

⑪ 360×40

⑫ 249×60

⑬ 427×26

⑭ 76×500

⑮ 34×726

3
곱셈

94

🐻 빈칸에 알맞은 수를 써넣으세요.

16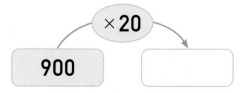

17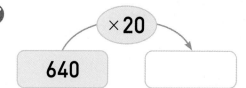

18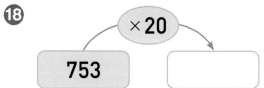

19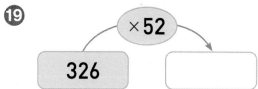

20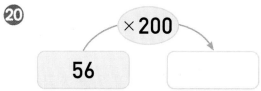

21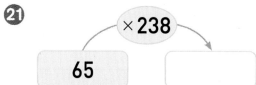

22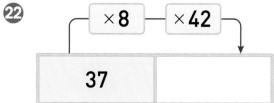

23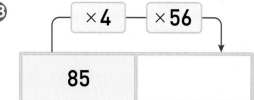

24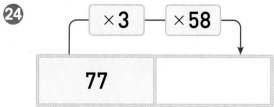

25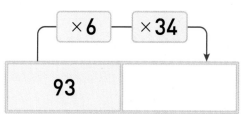

3

곱
셈

95

제한 시간 안에 정확하게
모두 풀었다면 여러분은 진정한 **계산왕!**

문장제 문제 도전하기

1   200 × 50 = ▢ → 한 갑이 **200** mL인 우유가 **50**갑 있습니다. 우유는 모두 몇 mL일까요?

이 곱셈식이 실생활에서 어떤 상황에 이용될까요?

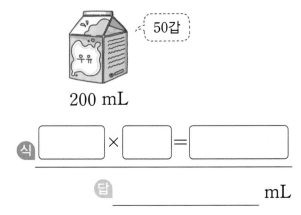

50갑

200 mL

식 ▢ × ▢ = ▢

답 _____ mL

2   550 × 30 = ▢ → 은수는 하루에 **550**원씩 **30**일 동안 저금하였습니다. 은수가 저금한 금액은 모두 얼마일까요?

식 ▢ × ▢ = ▢

답 _____ 원

3   142 × 20 = ▢ → 선호는 줄넘기를 매일 **142**번씩 **20**일 동안 하였습니다. 선호가 줄넘기를 한 횟수는 모두 몇 번일까요?

식 ▢ × ▢ = ▢

답 _____ 번

문장을 읽고 알맞은 곱셈식을 세워 답을 구해 보자!

4 재민이는 한 개에 **300**원 하는 사탕(🍬)을 **30**개 샀습니다.

재민이가 산 사탕의 값은 모두 얼마일까요?

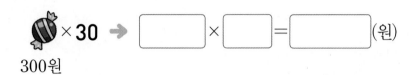

300원

5 한 통(📎)에 **115**개씩 들어 있는 클립이 **80**통 있습니다.

클립은 모두 몇 개일까요?

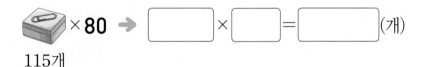

115개

6 주원이네 농장에서 수확한 매실을 한 자루에 **120** kg씩 **90**자루에 담았습니다.

주원이네 농장에서 수확한 매실은 모두 몇 kg일까요?

$$\boxed{} \times \boxed{} = \boxed{} (\text{kg})$$

문장제 문제 도전하기

7 950 × 16 = ☐

→ 가게에서 한 개에 **950**원 하는 사과를 **16**개 샀습니다. 사과 **16**개의 값은 모두 얼마일까요?

이 곱셈식이 실생활에서 어떤 상황에 이용될까요?

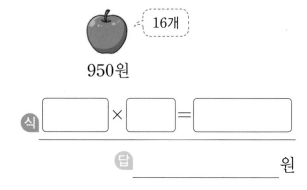

16개

950원

식 ☐ × ☐ = ☐

답 ☐ 원

8 14 × 258 = ☐

→ 한 통의 무게가 **14** kg인 수박이 **258**통 있습니다. 수박의 무게는 모두 몇 kg일까요?

258통

14 kg

식 ☐ × ☐ = ☐

답 ☐ kg

9 26 × 8 × 15 = ☐

→ 한 시간에 비누를 **26**개씩 만드는 기계가 있습니다. 이 기계로 하루에 **8**시간씩 **15**일 동안 만든 비누는 모두 몇 개일까요?

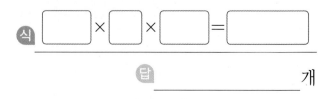

식 ☐ × ☐ × ☐ = ☐

답 ☐ 개

문장을 읽고 알맞은 곱셈식을 세워 답을 구해 보자!

10 한 개의 무게가 **225** g인 참외(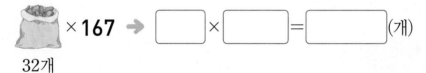)가 **54**개 있습니다.

참외의 무게는 모두 몇 g일까요?

 × **54** ➡ ☐ × ☐ = ☐ (g)

225 g

11 한 자루( )에 **32**개씩 들어 있는 당근이 **167**자루 있습니다.

당근은 모두 몇 개일까요?

× **167** ➡ ☐ × ☐ = ☐ (개)

32개

12 길이가 **45** cm인 끈이 **300**도막 있습니다.

끈의 길이는 모두 몇 cm일까요?

☐ × ☐ = ☐ (cm)

물을 절약하쟤!

융합 1 다음을 읽고 절약한 물의 양을 구하세요.

 표의 빈칸에 알맞은 수를 써넣으세요.

물 절약 방법	빨랫감 모아 세탁하기	설거지할 때 물 받아서 하기
1회에 절약되는 양(L)	196	72
실천 횟수(회)	15	114
절약한 물의 양(L)		

융합 2 1위안이 우리나라 돈으로 177원일 때, 50위안은 우리나라 돈으로 얼마인지 구하세요.

'위안'은 중국 화폐 단위예요.

▲ 1위안

답 ＿＿＿＿＿＿＿＿＿＿＿＿ 원

창의 3 아래로 내려가다 가로 선을 만나면 가로 선을 따라가는 방법으로 사다리타기를 하면서 차례로 곱을 구하여 빈칸에 알맞은 수를 써넣으세요.

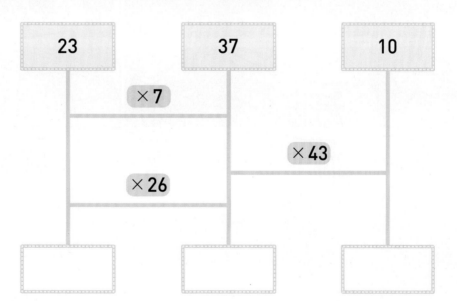

4 나눗셈

이번에 배울 내용을 알아볼까요?

1일차 ~ **4일차** 나머지가 없고 몇십으로 나누기

5일차 ~ **9일차** 나머지가 있고 몇십으로 나누기

10일차 ~ **11일차** 몫이 한 자리 수이고 두 자리 수로 나누기

12일차 ~ **15일차** 몫이 두 자리 수이고 두 자리 수로 나누기

(몇십)÷(몇십)

```
        2  ← 몫
2 0 ) 4 0
      4 0  ···20×2
        0  ← 나머지
```

세로셈에서는
자리를 맞추어
답을 써야 해요.

📖 계산해 보세요.

1
```
3 0 ) 3 0
```

2
```
5 0 ) 5 0
```

3
```
2 0 ) 6 0
```

4
```
2 0 ) 2 0
```

5
```
3 0 ) 6 0
```

6
```
4 0 ) 4 0
```

7
```
7 0 ) 7 0
```

8
```
4 0 ) 8 0
```

9
```
8 0 ) 8 0
```

4

나눗셈

⑩ 3 0) 9 0

⑪ 6 0) 6 0

⑫ 2 0) 4 0

⑬ 9 0) 9 0

⑭ 4 0) 8 0

⑮ 2 0) 8 0

자리를 잘 맞추어 세로로 쓰고 계산해요.

⑯ 30÷30=☐

⑰ 60÷30=☐

⑱ 50÷50=☐

⑲ 60÷20=☐

4

나눗셈

105

(몇십)÷(몇십)

 계산해 보세요.

1 20÷20=☐

2 50÷50=☐

3 60÷30=☐

4 80÷40=☐

5 70÷70=☐

6 90÷90=☐

 빈칸에 알맞은 수를 써넣으세요.

7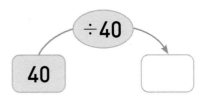
40 ÷40 ☐

8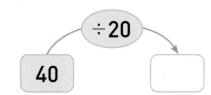
40 ÷20 ☐

9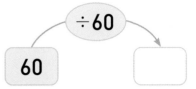
60 ÷60 ☐

10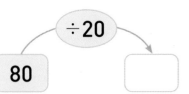
80 ÷20 ☐

11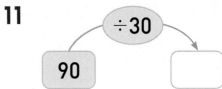
90 ÷30 ☐

12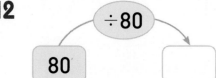
80 ÷80 ☐

생활 속 계산

🐻 수확한 사과를 한 상자에 주어진 수만큼씩 담으려면 상자는 각각 몇 개가 필요한지 구하세요.

13

수확한 사과: 60개

20개 ➡ $60 \div 20 = \boxed{}$ (개)

30개 ➡ $60 \div \boxed{} = \boxed{}$ (개)

14

수확한 사과: 80개

20개 ➡ $80 \div 20 = \boxed{}$ (개)

40개 ➡ $80 \div \boxed{} = \boxed{}$ (개)

문장 읽고 계산식 세우기

15
철사 30 cm를 똑같이 30도막으로 자르면 한 도막의 길이는?

식 $30 \div \boxed{} = \boxed{}$ (cm)

16
끈 90 cm를 똑같이 30도막으로 자르면 한 도막의 길이는?

식 $90 \div \boxed{} = \boxed{}$ (cm)

107

17
귤 40개를 한 상자에 20개씩 담으면 귤을 담은 상자는 몇 개?

식 $\boxed{} \div \boxed{} = \boxed{}$ (개)

18
딸기 60개를 한 상자에 20개씩 담으면 딸기를 담은 상자는 몇 개?

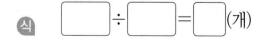

식 $\boxed{} \div \boxed{} = \boxed{}$ (개)

4

나눗셈

몫이 한 자리 수인 (몇백몇십)÷(몇십)

이렇게 해결하자

$$
\begin{array}{r}
5 \leftarrow 몫 \\
30\overline{)150} \\
150 \cdots 30\times5 \\
\hline
0 \leftarrow 나머지
\end{array}
$$

150÷30의 몫은 5이고, 나머지는 0이에요.

🐻 계산해 보세요.

①
$$20\overline{)140}$$

②
$$40\overline{)160}$$

③
$$60\overline{)240}$$

④
$$50\overline{)250}$$

⑤
$$70\overline{)210}$$

⑥
$$90\overline{)360}$$

⑦
$$30\overline{)270}$$

⑧
$$80\overline{)560}$$

⑨
$$70\overline{)280}$$

4

나눗셈

⑩

$$80 \overline{)160}$$

⑪

$$30 \overline{)210}$$

⑫

$$60 \overline{)420}$$

⑬

$$50 \overline{)450}$$

⑭

$$70 \overline{)490}$$

⑮

$$90 \overline{)630}$$

자리를 잘 맞추어 세로로 쓰고 계산해요.

⑯ 350÷70=☐

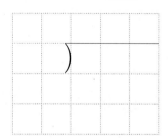

⑰ 640÷80=☐

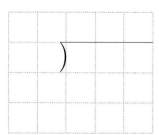

⑱ 540÷60=☐

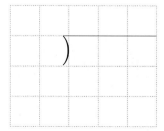

⑲ 810÷90=☐

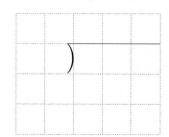

4

나눗셈

몫이 한 자리 수인 (몇백몇십)÷(몇십)

 보기와 같은 방법으로 계산해 보세요.

보기

$$120 \div 20 = 12 \div 2 = 6$$

 뒤에 있는 0을 같은 개수만큼씩 지워서 계산해도 결과는 같아요.

1 $180 \div 30 = \boxed{}$

2 $240 \div 40 = \boxed{}$

3 $480 \div 60 = \boxed{}$

4 $560 \div 70 = \boxed{}$

5 $240 \div 80 = \boxed{}$

🐻 빈칸에 큰 수를 작은 수로 나눈 몫을 써넣으세요.

6

30	150

7

160	20

8

180	90

9

40	120

10

80	320

11

360	60

4

나눗셈

110

플러스 계산 연습

생활 속 계산

🐻 주어진 사람이 버스에 모두 타려면 버스가 몇 대 필요한지 구하세요.

12  전체 140명이고 한 대에 20명씩 탈 수 있어요.

$140 \div 20 = \boxed{}$ (대)

13  전체 240명이고 한 대에 30명씩 탈 수 있어요.

$240 \div 30 = \boxed{}$ (대)

14  전체 180명이고 한 대에 20명씩 탈 수 있어요.

$180 \div \boxed{} = \boxed{}$ (대)

15  전체 280명이고 한 대에 40명씩 탈 수 있어요.

$280 \div \boxed{} = \boxed{}$ (대)

문장 읽고 계산식 세우기

16 사탕 150개를 한 봉지에 50개씩 담으면 사탕을 담은 봉지는 몇 봉지?

식 　 $150 \div \boxed{} = \boxed{}$ (봉지)

17 색종이 270장을 한 묶음에 30장씩 묶으면 색종이는 몇 묶음?

식 　 $270 \div \boxed{} = \boxed{}$ (묶음)

18 공책 350권을 50명에게 똑같이 나누어 주면 한 사람이 가지는 공책은 몇 권?

식 　 $\boxed{} \div \boxed{} = \boxed{}$ (권)

19 연필 360자루를 90명에게 똑같이 나누어 주면 한 사람이 가지는 연필은 몇 자루?

식 　 $\boxed{} \div \boxed{} = \boxed{}$ (자루)

(몇백)÷(몇십)

이렇게 해결하자

```
        2 0
2 0 ) 4 0 0
      4 0
          0
```

몫을 2라고 쓰지
않도록 주의해요.

계산해 보세요.

①
```
3 0 ) 3 0 0
```

②
```
2 0 ) 6 0 0
```

③
```
5 0 ) 5 0 0
```

④
```
4 0 ) 4 0 0
```

⑤
```
7 0 ) 7 0 0
```

⑥
```
3 0 ) 6 0 0
```

⑦
```
6 0 ) 6 0 0
```

⑧
```
2 0 ) 8 0 0
```

⑨
```
8 0 ) 8 0 0
```

나눗셈

112

⑩
```
2 0 ) 2 0 0
```

⑪
```
3 0 ) 9 0 0
```

⑫
```
2 0 ) 4 0 0
```

⑬
```
3 0 ) 3 0 0
```

⑭
```
9 0 ) 9 0 0
```

⑮
```
4 0 ) 8 0 0
```

자리를 잘 맞추어 세로로 쓰고 계산해요.

⑯ 600÷20=☐

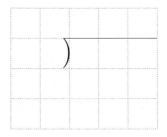

⑰ 800÷80=☐

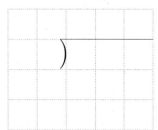

⑱ 700÷70=☐

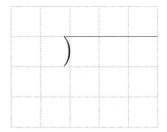

⑲ 800÷20=☐

(몇백)÷(몇십)

 보기 와 같은 방법으로 계산해 보세요.

보기

$$500 \div 50 = 50 \div 5 = 10$$

 뒤에 있는 0을 같은 개수만큼씩
지워서 계산해도 결과는 같아요.

1 $200 \div 20 = \boxed{}$

2 $600 \div 20 = \boxed{}$

3 $800 \div 80 = \boxed{}$

4 $700 \div 70 = \boxed{}$

5 $900 \div 30 = \boxed{}$

빈칸에 알맞은 수를 써넣으세요.

6 400 ÷20

7 400 ÷40

8 600 ÷60

9 800 ÷40

10 800 ÷20

11 900 ÷90

생활 속 계산

주어진 책을 다 읽으려면 며칠이 걸리는지 구하세요.

12 만화책
매일 30쪽씩 읽어요.

전체 300쪽

$300 \div 30 = \boxed{}$ (일)

13 위인전
매일 20쪽씩 읽어요.

전체 400쪽

$400 \div 20 = \boxed{}$ (일)

14 과학책
매일 40쪽씩 읽어요.

전체 400쪽

$400 \div \boxed{} = \boxed{}$ (일)

15 소설책
매일 30쪽씩 읽어요.

전체 600쪽

$600 \div \boxed{} = \boxed{}$ (일)

4

나눗셈

문장 읽고 계산식 세우기

16 의자 200개를 한 줄에 20개씩 놓으면 의자는 모두 몇 줄?

식 $200 \div \boxed{} = \boxed{}$ (줄)

17 학생 600명을 한 줄에 20명씩 세우면 학생은 모두 몇 줄?

식 $600 \div \boxed{} = \boxed{}$ (줄)

18 지점토 800 g을 똑같이 80덩이로 나눌 때 한 덩이의 무게는?

식 $\boxed{} \div \boxed{} = \boxed{}$ (g)

19 찰흙 900 g을 똑같이 30덩이로 나눌 때 한 덩이의 무게는?

식 $\boxed{} \div \boxed{} = \boxed{}$ (g)

몫이 두 자리 수인 (몇백몇십)÷(몇십)

이렇게 해결하자

```
              2
        1 0
  3 0 ) 3 6 0
        3 0 0  ···30×10
          6 0  ···360-300
          6 0  ···30×2
            0  ···60-60
```

→

```
            1 2
  3 0 ) 3 6 0
        3 0
          6 0
          6 0
            0
```

● 부분 0은 계산상 편리함을 위해 생략할 수 있어요.

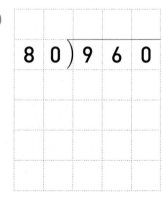

📖 계산해 보세요.

①
```
  2 0 ) 2 8 0
```

②
```
  4 0 ) 4 8 0
```

③
```
  3 0 ) 5 4 0
```

④
```
  6 0 ) 7 2 0
```

⑤
```
  5 0 ) 7 5 0
```

⑥
```
  8 0 ) 9 6 0
```

❼
$$40 \overline{\smash{)}560}$$

❽
$$20 \overline{\smash{)}520}$$

❾
$$70 \overline{\smash{)}910}$$

세로로 쓰면 계산하기 쉬워요.

❿ $390 \div 30 = \boxed{}$

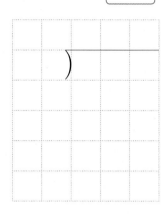

⓫ $650 \div 50 = \boxed{}$

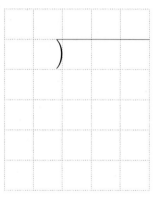

⓬ $840 \div 60 = \boxed{}$

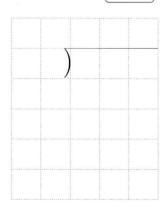

⓭ $980 \div 70 = \boxed{}$

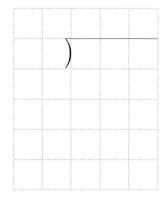

몫이 두 자리 수인 (몇백몇십)÷(몇십)

🐻 계산해 보세요.

1 260÷20 = ☐

2 780÷60 = ☐

3 850÷50 = ☐

4 720÷30 = ☐

5 740÷20 = ☐

6 840÷70 = ☐

🐻 빈칸에 알맞은 수를 써넣으세요.

7 450 → ÷30 → ☐

8 680 → ÷20 → ☐

9 520 → ÷40 → ☐

10 950 → ÷50 → ☐

11 880 → ÷80 → ☐

12 960 → ÷60 → ☐

나눗셈

생활 속 계산

🐻 무게가 같은 구슬을 주어진 수만큼 올려놓으면 저울이 수평을 이룹니다. 구슬 한 개의 무게를 구하세요.
└─→ 어느 한쪽으로 기울지 않고
평평한 상태

13

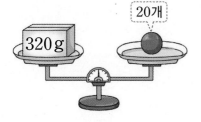

320÷20 = ☐ (g)

14

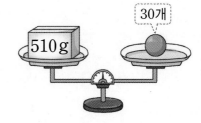

510÷30 = ☐ (g)

15

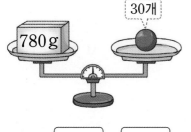

780÷ ☐ = ☐ (g)

16

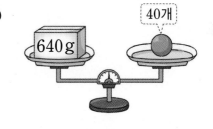

640÷ ☐ = ☐ (g)

문장 읽고 계산식 세우기

17 전체가 280쪽인 동화책을 하루에 20쪽씩 읽을 때 모두 읽는 데 걸리는 날수는?

식 280÷ ☐ = ☐ (일)

18 전체가 360쪽인 위인전을 하루에 30쪽씩 읽을 때 모두 읽는 데 걸리는 날수는?

식 360÷ ☐ = ☐ (일)

19 복숭아 330개를 한 상자에 30개씩 담으면 복숭아를 담은 상자는 몇 개?

식  ☐ ÷ ☐ = ☐ (개)

20 귤 650개를 한 상자에 50개씩 담으면 귤을 담은 상자는 몇 개?

식 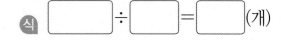 ☐ ÷ ☐ = ☐ (개)

4

나눗셈

119

나머지가 있는 (두 자리 수)÷(몇십)

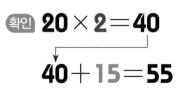

계산 결과가
맞는지 확인해요.

몫 **2** 나머지 **15**

확인 **20 × 2 = 40**

40 + 15 = 55

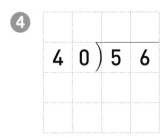

계산해 보세요.

4

나눗셈

① 2 0) 2 7

② 3 0) 6 4

③ 5 0) 5 5

120

④ 4 0) 5 6

⑤ 6 0) 7 2

⑥ 3 0) 3 4

⑦ 5 0) 6 1

⑧ 2 0) 6 6

⑨ 8 0) 8 9

기초 계산 연습

🐻 나눗셈을 하고, 계산 결과가 맞는지 확인해 보세요.

⑩
$$30 \overline{\smash{)}43}$$

확인 $30 \times \boxed{} = \boxed{}$

$30 + \boxed{} = 43$

⑪
$$70 \overline{\smash{)}85}$$

확인 $70 \times \boxed{} = \boxed{}$

$70 + \boxed{} = 85$

⑫
$$80 \overline{\smash{)}90}$$

확인 $80 \times \boxed{} = \boxed{}$

$\boxed{} + \boxed{} = 90$

⑬
$$30 \overline{\smash{)}71}$$

확인 $30 \times \boxed{} = \boxed{}$

$\boxed{} + \boxed{} = 71$

⑭
$$40 \overline{\smash{)}83}$$

확인 _____

⑮
$$50 \overline{\smash{)}59}$$

확인 _____

나머지가 있는 (두 자리 수)÷(몇십)

🐻 나눗셈의 몫과 나머지를 각각 구하세요.

1
$$48 \div 40$$
몫 _____
나머지 _____

2
$$51 \div 20$$
몫 _____
나머지 _____

3
$$82 \div 50$$
몫 _____
나머지 _____

4
$$73 \div 60$$
몫 _____
나머지 _____

5
$$88 \div 30$$
몫 _____
나머지 _____

6
$$92 \div 40$$
몫 _____
나머지 _____

🐻 나눗셈을 하여 ☐ 안에는 몫을 써넣고, ◯ 안에는 나머지를 써넣으세요.

7 ÷
| 29 | 20 | |
→ ◯

8 ÷
| 87 | 70 | |
→ ◯

9 ÷
| 75 | 20 | |
→ ◯

10 ÷
| 94 | 30 | |
→ ◯

생활 속 계산

🐻 학용품을 상자에 적힌 개수만큼씩 한 상자에 담아 포장할 때 몇 상자까지 포장할 수 있는지 구하세요.

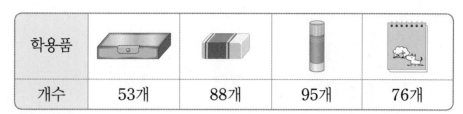

학용품				
개수	53개	88개	95개	76개

11
20개

$53 \div 20 =$ ☐ ⋯ ☐

➡ ☐ 상자

12
30개

$95 \div 30 =$ ☐ ⋯ ☐

➡ ☐ 상자

13
40개

$88 \div$ ☐ $=$ ☐ ⋯ ☐

➡ ☐ 상자

14
30개

$76 \div$ ☐ $=$ ☐ ⋯ ☐

➡ ☐ 상자

문장 읽고 계산식 세우기

15 색 테이프 95 cm를 40 cm씩 자르면 몇 도막이 되고, 몇 cm가 남을까?

식 $95 \div 40 =$ ☐ ⋯ ☐

답 _____ 도막, _____ cm

16 철사 96 cm를 20 cm씩 자르면 몇 도막이 되고, 몇 cm가 남을까?

식 $96 \div$ ☐ $=$ ☐ ⋯ ☐

답 _____ 도막, _____ cm

몫이 한 자리 수이고 나머지가 있는
(몇백몇십)÷(몇십)

```
              4
3 0 ) 1 3 0
        1 2 0
            1 0
```

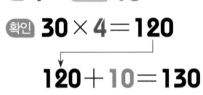 몫 **4** 나머지 **10**

확인 **30 × 4 = 120**

120 + 10 = 130

 나머지는 항상 나누는 수보다 작아야 해요.

🐻 계산해 보세요.

①
```
2 0 ) 1 1 0
```

②
```
5 0 ) 1 7 0
```

③
```
3 0 ) 1 4 0
```

④
```
6 0 ) 3 2 0
```

⑤
```
4 0 ) 2 3 0
```

⑥
```
8 0 ) 3 5 0
```

⑦
```
5 0 ) 1 3 0
```

⑧
```
9 0 ) 3 3 0
```

⑨
```
7 0 ) 5 1 0
```

나눗셈

4

124

나눗셈을 하고, 계산 결과가 맞는지 확인해 보세요.

⑩
$$3\,0\,)\,2\,3\,0$$

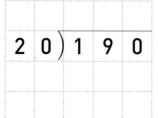

확인 $30 \times \boxed{} = \boxed{}$

$210 + \boxed{} = 230$

⑪
$$6\,0\,)\,3\,8\,0$$

확인 $60 \times \boxed{} = \boxed{}$

$360 + \boxed{} = 380$

⑫
$$2\,0\,)\,1\,9\,0$$

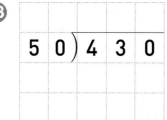

확인 $20 \times \boxed{} = \boxed{}$

$\boxed{} + \boxed{} = 190$

⑬
$$5\,0\,)\,4\,3\,0$$

확인 $50 \times \boxed{} = \boxed{}$

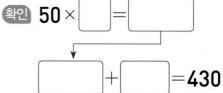

$\boxed{} + \boxed{} = 430$

⑭
$$7\,0\,)\,5\,7\,0$$

확인 _____

_____

⑮
$$8\,0\,)\,7\,5\,0$$

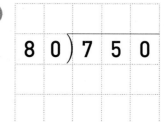

확인 _____

_____

몫이 한 자리 수이고 나머지가 있는
(몇백몇십)÷(몇십)

🐻 나눗셈의 몫과 나머지를 각각 구하세요.

1 160÷30

몫 _____

나머지 _____

2 210÷40

몫 _____

나머지 _____

3 270÷60

몫 _____

나머지 _____

4 390÷50

몫 _____

나머지 _____

5 510÷80

몫 _____

나머지 _____

6 680÷90

몫 _____

나머지 _____

🐻 나눗셈을 하여 ☐ 안에는 몫을 써넣고, ◯ 안에는 나머지를 써넣으세요.

7 | 150 | ÷20 | ☐ | ◯

8 | 330 | ÷70 | ☐ | ◯

9 | 390 | ÷60 | ☐ | ◯

10 | 760 | ÷80 | ☐ | ◯

4
나눗셈

생활 속 계산

 학생들의 오래 매달리기 기록입니다. 몇 분 몇 초인지 구하세요.

11  은우

내 기록은 250초예요.
1분＝60초임을 이용해서
나눗셈을 해봐요.

☐ 분 ☐ 초

12  건우

내 기록은
330초이지요.

☐ 분 ☐ 초

13 유찬

난 440초예요.

☐ 분 ☐ 초

14 지안

내 기록은 380초예요.

☐ 분 ☐ 초

문장 읽고 계산식 세우기

15 당근 220개를 한 상자에 30개씩 담으면 몇 상자가 되고, 몇 개가 남을까?

식 $220 \div 30 =$ ☐ … ☐

답 _____ 상자, _____ 개

16 감자 340개를 한 상자에 40개씩 담으면 몇 상자가 되고, 몇 개가 남을까?

식 $340 \div 40 =$ ☐ … ☐

답 _____ 상자, _____ 개

17 밤 130개를 한 자루에 50개씩 담으면 몇 자루가 되고, 몇 개가 남을까?

식 $130 \div$ ☐ $=$ ☐ … ☐

답 _____ 자루, _____ 개

18 종이학 390마리를 한 병에 70마리씩 담으면 몇 병이 되고, 몇 마리가 남을까?

식 $390 \div$ ☐ $=$ ☐ … ☐

답 _____ 병, _____ 마리

4

나눗셈

127

몫이 두 자리 수이고 나머지가 있는
(몇백몇십)÷(몇십)

  이렇게 해결하자

```
            1 3
   5 0 ) 6 6 0
         5 0
         1 6 0
         1 5 0
               1 0
```

몫 **13**   나머지 **10**

확인 $50 \times 13 = 650$

$650 + 10 = 660$

660÷50에서
66이 50보다 크므로
몫은 두 자리 수예요.

4

나눗셈

📖 계산해 보세요.

❶
```
2 0 ) 3 9 0
```

❷
```
4 0 ) 5 4 0
```

❸
```
5 0 ) 5 7 0
```

128

❹
```
4 0 ) 6 7 0
```

❺
```
3 0 ) 8 2 0
```

❻
```
7 0 ) 9 6 0
```

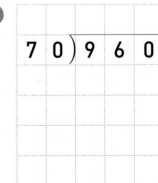

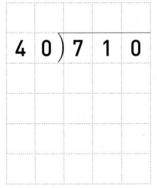 나눗셈을 하고, 계산 결과가 맞는지 확인해 보세요.

7

```
   3 0 ) 5 5 0
```

확인 30 × □ = □

540 + □ = 550

8

```
   2 0 ) 3 5 0
```

확인 20 × □ = □

340 + □ = 350

9

```
   4 0 ) 7 1 0
```

확인 40 × □ = □

□ + □ = 710

10

```
   8 0 ) 9 8 0
```

확인 80 × □ = □

□ + □ = 980

11

```
   7 0 ) 8 8 0
```

확인 _____

12

```
   6 0 ) 9 3 0
```

확인 _____

몫이 두 자리 수이고 나머지가 있는
(몇백몇십)÷(몇십)

🐻 나눗셈의 몫과 나머지를 각각 구하세요.

1
$$530 \div 20$$

몫 _____

나머지 _____

2
$$620 \div 40$$

몫 _____

나머지 _____

3
$$930 \div 50$$

몫 _____

나머지 _____

4
$$870 \div 60$$

몫 _____

나머지 _____

🐻 나눗셈을 하여 ☐ 안에는 몫을 써넣고, ◯ 안에는 나머지를 써넣으세요.

5
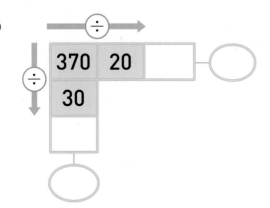

370	20
30	

6
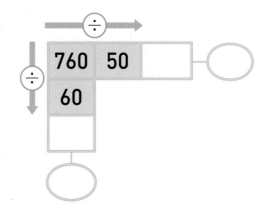

760	50
60	

7
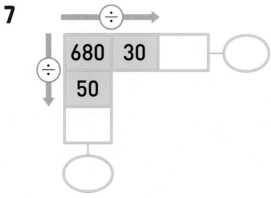

680	30
50	

8
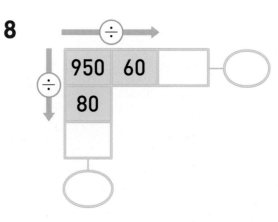

950	60
80	

생활 속 계산

🐻 털실을 각각 같은 길이로 나누려고 합니다. 털실은 몇 도막까지 만들 수 있고, 몇 cm가 남는지 구하세요.

9

520 cm
한 도막의 길이: 30 cm
[　] 도막, [　] cm

10
한 도막의 길이: 50 cm
770 cm
[　] 도막, [　] cm

11

920 cm
한 도막의 길이: 80 cm
[　] 도막, [　] cm

12
한 도막의 길이: 40 cm
930 cm
[　] 도막, [　] cm

4

나눗셈

문장 읽고 계산식 세우기

13
색종이 330장을 한 묶음에 20장씩 묶으면 몇 묶음이 되고, 몇 장이 남을까?

식 $330 \div 20 =$ [　] … [　]

답 _____ 묶음, _____ 장

14
색 도화지 470장을 한 묶음에 30장씩 묶으면 몇 묶음이 되고, 몇 장이 남을까?

식 $470 \div 30 =$ [　] … [　]

답 _____ 묶음, _____ 장

131

15
씨앗 620개를 한 줄에 50개씩 심으면 몇 줄이 되고, 몇 개가 남을까?

식 $620 \div 50 =$ [　] … [　]

답 _____ 줄, _____ 개

16
나무 510그루를 한 줄에 40그루씩 심으면 몇 줄이 되고, 몇 그루가 남을까?

식 $510 \div 40 =$ [　] … [　]

답 _____ 줄, _____ 그루

8 일차

몫이 한 자리 수이고 나머지가 있는
(세 자리 수)÷(몇십)

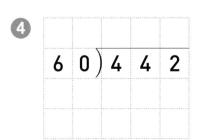

이렇게 해결하자

```
          7
2 0 ) 1 5 6
      1 4 0
          1 6
```

몫 **7** 나머지 **16**

확인 **20 × 7 = 140**

140 + 16 = 156

156÷20에서
15가 20보다 작으므로
몫은 한 자리 수예요.

4

나눗셈

132

계산해 보세요.

①
```
4 0 ) 2 1 3
```

②
```
3 0 ) 1 3 9
```

③
```
7 0 ) 3 7 2
```

④
```
6 0 ) 4 4 2
```

⑤
```
5 0 ) 2 6 1
```

⑥
```
8 0 ) 2 5 3
```

⑦
```
2 0 ) 1 7 5
```

⑧
```
4 0 ) 1 7 4
```

⑨
```
9 0 ) 3 9 1
```

기초 계산 연습

🐻📖 **나눗셈을 하고, 계산 결과가 맞는지 확인해 보세요.**

⑩
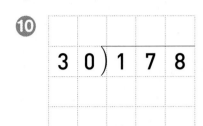

확인 $30 \times \boxed{} = \boxed{}$

$150 + \boxed{} = 178$

⑪
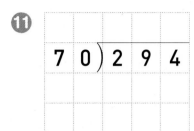

확인 $70 \times \boxed{} = \boxed{}$

$280 + \boxed{} = 294$

⑫
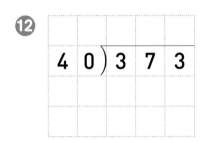

확인 $40 \times \boxed{} = \boxed{}$

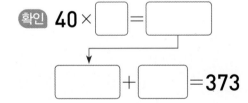

$\boxed{} + \boxed{} = 373$

⑬
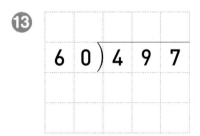

확인 $60 \times \boxed{} = \boxed{}$

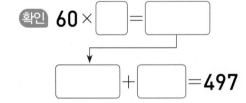

$\boxed{} + \boxed{} = 497$

⑭
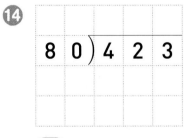

확인

⑮
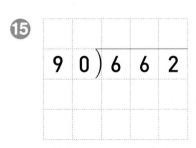

확인

몫이 한 자리 수이고 나머지가 있는
(세 자리 수)÷(몇십)

🐻 나눗셈의 몫과 나머지를 각각 구하세요.

1

$$128 \div 60$$

몫

나머지

2

$$475 \div 50$$

몫

나머지

3

$$156 \div 40$$

몫

나머지

4

$$255 \div 70$$

몫

나머지

5

$$574 \div 60$$

몫

나머지

6

$$503 \div 90$$

몫

나머지

🐻 나눗셈을 하여 ☐ 안에는 몫을 써넣고, ◯ 안에는 나머지를 써넣으세요.

7

138 → ÷50 → ☐ … ◯

8

329 → ÷60 → ☐ … ◯

9

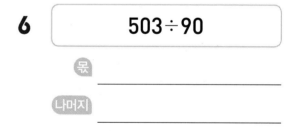

577 → ÷70 → ☐ … ◯

10

769 → ÷80 → ☐ … ◯

생활 속 계산

🐻 매실액을 각각 컵에 똑같이 나누어 담으려고 합니다. 매실액은 몇 컵까지 담을 수 있고, 몇 mL 가 남는지 구하세요.

11

463 mL

한 컵에 담는 양:
50 mL

463÷50=☐ … ☐

➡ ☐ 컵, ☐ mL

12

259 mL

한 컵에 담는 양:
30 mL

259÷30=☐ … ☐

➡ ☐ 컵, ☐ mL

13

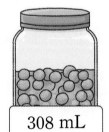

308 mL

한 컵에 담는 양:
40 mL

➡ ☐ 컵, ☐ mL

14

553 mL

한 컵에 담는 양:
60 mL

➡ ☐ 컵, ☐ mL

4

나눗셈

135

문장 읽고 계산식 세우기

15

고구마 174 kg을 한 상자에 20 kg씩 담아서 팔려고 할 때 고구마는 몇 상자 까지 팔 수 있고, 몇 kg이 남을까?

 174÷20=☐ … ☐

_____

답 _____ 상자, _____ kg

16

땅콩 192 kg을 한 상자에 40 kg씩 담아서 팔려고 할 때 땅콩은 몇 상자 까지 팔 수 있고, 몇 kg이 남을까?

 192÷☐=☐ … ☐

_____

답 _____ 상자, _____ kg

몫이 두 자리 수이고 나머지가 있는
(세 자리 수)÷(몇십)

 이렇게 해결하자

```
            1  4
   3  0 ) 4  3  5
            3  0
            1  3  5
            1  2  0
                 1  5
```

몫 **14**   나머지 **15**

확인 **30 × 14 = 420**

↓

420 + 15 = 435

계산 결과가
맞는지 확인해요.

4

나눗셈

계산해 보세요.

①
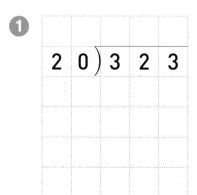
```
2 0 ) 3 2 3
```

②
```
3 0 ) 6 3 7
```

③
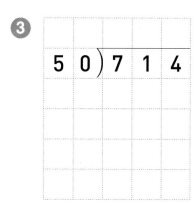
```
5 0 ) 7 1 4
```

136

④
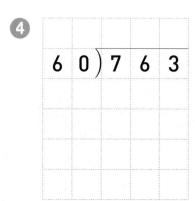
```
6 0 ) 7 6 3
```

⑤
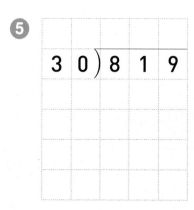
```
3 0 ) 8 1 9
```

⑥
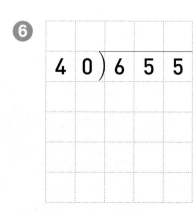
```
4 0 ) 6 5 5
```

나눗셈을 하고, 계산 결과가 맞는지 확인해 보세요.

❼
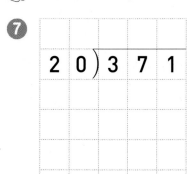

확인 $20 \times$ ☐ = ☐

$360 +$ ☐ $= 371$

❽
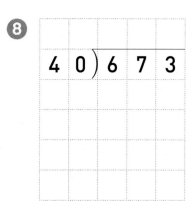

확인 $40 \times$ ☐ = ☐

$640 +$ ☐ $= 673$

❾
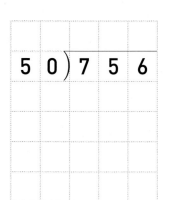

확인 $50 \times$ ☐ = ☐

☐ + ☐ $= 756$

❿
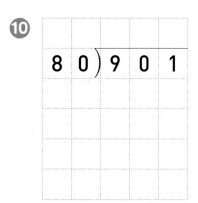

확인 $80 \times$ ☐ = ☐

☐ + ☐ $= 901$

⓫
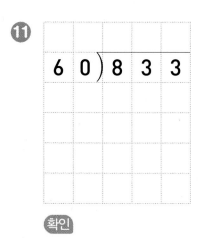

확인 _____

⓬
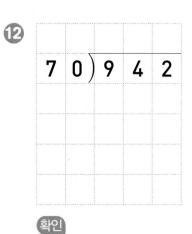

확인 _____

137

4

나눗셈

몫이 두 자리 수이고 나머지가 있는 (세 자리 수)÷(몇십)

🐻 나눗셈의 몫과 나머지를 각각 구하세요.

1

$$331 \div 20$$

몫 _____

나머지 _____

2

$$493 \div 30$$

몫 _____

나머지 _____

3

$$697 \div 50$$

몫 _____

나머지 _____

4

$$966 \div 40$$

몫 _____

나머지 _____

🐻 나눗셈을 하여 □ 안에는 몫을 써넣고, ○ 안에는 나머지를 써넣으세요.

5
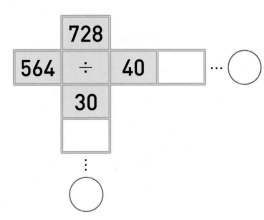

6

7
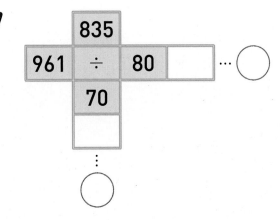

8
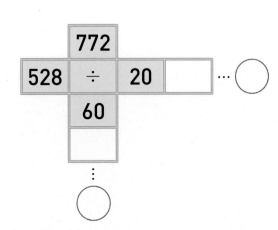

생활 속 계산

🐻 채소를 상자에 적힌 개수만큼씩 한 상자에 담아 포장할 때 몇 상자까지 포장할 수 있는지 구하세요.

채소				
개수	571개	373개	671개	846개

9 40개 ☐ 상자

10 30개 ☐ 상자

11 50개 ☐ 상자

12 60개 ☐ 상자

4

나눗셈

문장 읽고 계산식 세우기

13 리본 한 개를 만드는 데 색 테이프 70 cm가 필요할 때 색 테이프 819 cm로 만들 수 있는 리본은 몇 개?

식 $819 \div 70 =$ ☐ $\cdots$ ☐

답 ＿＿＿＿＿＿＿＿ 개

14 꽃 한 개를 만드는 데 색 테이프 80 cm가 필요할 때 색 테이프 975 cm로 만들 수 있는 꽃은 몇 개?

식 $975 \div 80 =$ ☐ $\cdots$ ☐

답 ＿＿＿＿＿＿＿＿ 개

139

15 과자 한 개를 만드는 데 설탕이 20 g 필요할 때 설탕 312 g으로 과자를 몇 개까지 만들 수 있고, 몇 g이 남을까?

식 $312 \div 20 =$ ☐ $\cdots$ ☐

답 ＿＿＿＿ 개, ＿＿＿＿ g

16 빵 한 개를 만드는 데 설탕이 40 g 필요할 때 설탕 655 g으로 빵을 몇 개까지 만들 수 있고, 몇 g이 남을까?

식 $655 \div 40 =$ ☐ $\cdots$ ☐

답 ＿＿＿＿ 개, ＿＿＿＿ g

몫이 한 자리 수인 (두 자리 수)÷(두 자리 수)

이렇게 해결하자

```
        4
1 5 ) 6 8
      6 0
        8
```

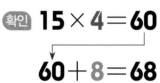 몫 **4** 나머지 **8**

 확인 **15 × 4 = 60**

60 + 8 = 68

나머지는 항상
나누는 수보다
작아야 해요.

 계산해 보세요.

①
```
2 1 ) 4 2
```

②
```
1 9 ) 7 8
```

③
```
2 2 ) 6 9
```

④
```
4 6 ) 9 2
```

⑤
```
2 3 ) 7 4
```

⑥
```
3 4 ) 6 8
```

⑦
```
1 6 ) 4 8
```

⑧
```
2 6 ) 5 5
```

⑨
```
1 5 ) 7 5
```

4

나눗셈

🐻 나눗셈을 하고, 계산 결과가 맞는지 확인해 보세요.

⑩
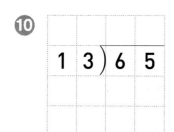

확인 13 × □ = □

⑪
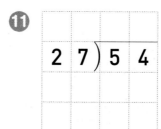

확인 27 × □ = □

⑫
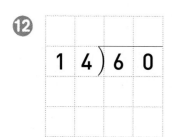

확인 14 × □ = □

56 + □ = 60

⑬
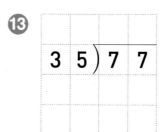

확인 35 × □ = □

□ + □ = 77

⑭
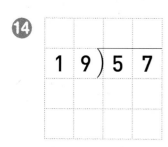

확인

⑮
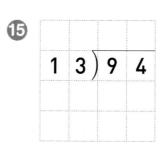

확인

몫이 한 자리 수인 (두 자리 수)÷(두 자리 수)

🐻 나눗셈의 몫과 나머지를 각각 구하세요.

1

$$61 \div 29$$

몫 _____

나머지 _____

2

$$84 \div 12$$

몫 _____

나머지 _____

3

$$96 \div 32$$

몫 _____

나머지 _____

4

$$93 \div 45$$

몫 _____

나머지 _____

4
나눗셈

🐻 나눗셈을 하여 ☐ 안에는 몫을 써넣고, ◯ 안에는 나머지를 써넣으세요.

5

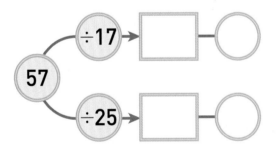

6

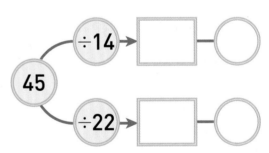

7

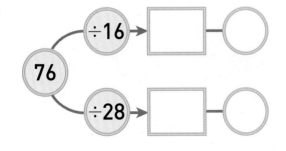

8

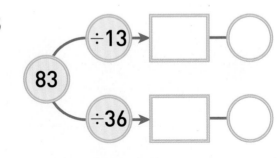

생활 속 계산

🐻 다음과 같은 순서대로 계산기 버튼을 누르면 계산기에는 어떤 수가 나오는지 ☐ 안에 써넣으세요.

9 5 6 ÷ 1 4 = ☐

10 7 2 ÷ 2 4 = ☐

3 6 ÷ 1 2 = 을
누르면 3이 나와요.

11 9 6 ÷ 1 6 = ☐

문장 읽고 계산식 세우기

12 사과 53개를 한 상자에 15개씩 담아 포장할 때 포장하고 남는 사과는 몇 개?

식 53 ÷ 15 = ☐ … ☐

답 _____ 개

13 달걀 77개를 한 상자에 25개씩 담아 포장할 때 포장하고 남는 달걀은 몇 개?

식 77 ÷ ☐ = ☐ … ☐

답 _____ 개

몫이 한 자리 수인 (세 자리 수)÷(두 자리 수)

 이렇게 해결하자

```
        5
2 4 ) 1 3 2
      1 2 0
        1 2
```

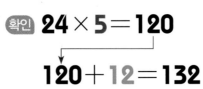 몫 5 나머지 12

확인 24 × 5 = 120

120 + 12 = 132

132÷24에서
13이 24보다 작으므로
몫은 한 자리 수예요.

📖 계산해 보세요.

나눗셈

❶
```
2 5 ) 1 1 8
```

❷
```
3 1 ) 1 2 4
```

❸
```
2 7 ) 1 4 6
```

❹
```
5 4 ) 1 6 2
```

❺
```
4 6 ) 2 4 5
```

❻
```
3 3 ) 2 0 3
```

❼
```
4 2 ) 3 8 1
```

❽
```
5 7 ) 3 4 2
```

❾
```
8 8 ) 4 4 0
```

나눗셈을 하고, 계산 결과가 맞는지 확인해 보세요.

⑩
```
4 1 ) 2 0 5
```
확인 41 × ☐ = ☐

⑪
```
6 5 ) 3 9 0
```
확인 65 × ☐ = ☐

⑫
```
1 9 ) 1 1 6
```
확인 19 × ☐ = ☐

☐ + ☐ = 116

⑬
```
5 7 ) 4 6 1
```
확인 57 × ☐ = ☐

☐ + ☐ = 461

⑭
```
7 3 ) 2 9 2
```
확인

_____

_____

⑮
```
2 8 ) 2 0 7
```
확인

_____

_____

4

나눗셈

145

몫이 한 자리 수인 (세 자리 수)÷(두 자리 수)

🐻 나눗셈의 몫과 나머지를 각각 구하세요.

1 170÷54

몫 _____

나머지 _____

2 144÷16

몫 _____

나머지 _____

3 138÷23

몫 _____

나머지 _____

4 141÷15

몫 _____

나머지 _____

5 252÷36

몫 _____

나머지 _____

6 485÷69

몫 _____

나머지 _____

🐻 나눗셈을 하여 ☐ 안에는 몫을 써넣고, ○ 안에는 나머지를 써넣으세요.

7 169

÷55 → ☐ ⋯ ○

8 437

÷72 → ☐ ⋯ ○

9 271

÷43 → ☐ ⋯ ○

10 514

÷84 → ☐ ⋯ ○

4

나눗셈

생활 속 계산

🐻 주어진 길이를 몸의 일부로 재면 각각 몇 번인지 구하세요.

11 책상의 가로: 104 cm

한 뼘의 길이: 13 cm

104÷13=☐(번)

12 책장의 가로: 132 cm

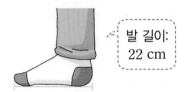

발 길이: 22 cm

132÷22=☐(번)

13 창문의 긴 쪽: 245 cm

한 걸음의 길이: 35 cm

245÷☐=☐(번)

14 방의 긴 쪽: 380 cm

양팔 사이의 길이: 76 cm

380÷☐=☐(번)

문장 읽고 계산식 세우기

15 귤 195개를 한 봉지에 24개씩 담으면 몇 봉지가 되고, 몇 개가 남을까?

 195÷24=☐ … ☐

 ＿＿＿＿ 봉지, ＿＿＿＿ 개

16 대추 318개를 한 봉지에 45개씩 담으면 몇 봉지가 되고, 몇 개가 남을까?

 318÷☐=☐ … ☐

답 ＿＿＿＿ 봉지, ＿＿＿＿ 개

몫이 몇십이고 나머지가 없는
(세 자리 수)÷(두 자리 수)

```
         3 0
  1 7 ) 5 1 0
         5 1
             0
```

자리를 맞추어
답을 써야 해요.

🐻 계산해 보세요.

①
```
2 6 ) 5 2 0
```

②
```
1 6 ) 6 4 0
```

③
```
3 8 ) 7 6 0
```

나눗셈

4

148

④
```
4 3 ) 8 6 0
```

⑤
```
1 9 ) 5 7 0
```

⑥
```
1 3 ) 7 8 0
```

⑦
```
2 5 ) 7 5 0
```

⑧
```
3 9 ) 7 8 0
```

⑨
```
2 4 ) 9 6 0
```

기초 계산 연습

⑩ 3 3) 6 6 0

⑪ 2 7) 8 1 0

⑫ 1 7) 8 5 0

⑬ 1 4) 8 4 0

⑭ 4 1) 8 2 0

⑮ 2 9) 5 8 0

자리를 잘 맞추어 세로로 쓰고 계산해요.

⑯ 750÷15＝

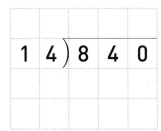

⑰ 720÷36＝

⑱ 960÷48＝

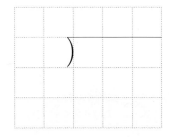

⑲ 920÷23＝

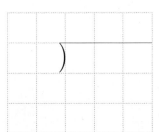

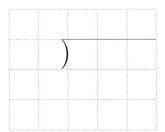

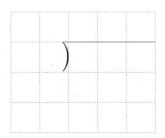

4

나눗셈

몫이 몇십이고 나머지가 없는
(세 자리 수)÷(두 자리 수)

계산해 보세요.

1 520÷13=☐

2 630÷21=☐

3 720÷18=☐

4 880÷22=☐

5 450÷15=☐

6 780÷26=☐

4

나눗셈

7 나눗셈의 몫을 찾아 선으로 이어 보세요.

480÷12

720÷24

840÷42

950÷19

20

40

30

50

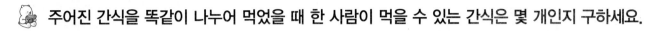

생활 속 계산

주어진 간식을 똑같이 나누어 먹었을 때 한 사람이 먹을 수 있는 간식은 몇 개인지 구하세요.

8

13명이 똑같이 나누어 먹었어요.

260개

$260 \div 13 = \boxed{}$ (개)

9

22명이 똑같이 나누어 먹었어요.

660개

$660 \div 22 = \boxed{}$ (개)

10

31명이 똑같이 나누어 먹었어요.

930개

$930 \div \boxed{} = \boxed{}$ (개)

11

26명이 똑같이 나누어 먹었어요.

520개

$520 \div \boxed{} = \boxed{}$ (개)

나눗셈

151

문장 읽고 계산식 세우기

12
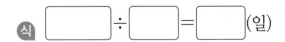
클립 25개가 750원일 때 클립 한 개는 얼마?

식 $750 \div \boxed{} = \boxed{}$ (원)

13

옷핀 16개가 800원일 때 옷핀 한 개는 얼마?

식 $800 \div \boxed{} = \boxed{}$ (원)

14
480쪽인 책을 하루에 24쪽씩 읽을 때 모두 읽는 데 걸리는 날수는?

식 $\boxed{} \div \boxed{} = \boxed{}$ (일)

15
수학 690문제를 하루에 23문제씩 풀 때 모두 푸는 데 걸리는 날수는?

식 $\boxed{} \div \boxed{} = \boxed{}$ (일)

몫이 몇십이고 나머지가 있는
(세 자리 수)÷(두 자리 수)

이렇게 해결하자

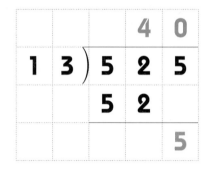

몫 **40**   나머지 **5**

확인 **13 × 40 = 520**

520 + 5 = 525

계산 결과가
맞는지 확인해요.

🐻 계산해 보세요.

4
나눗셈

1
```
1 5 ) 6 0 3
```

2
```
4 7 ) 4 9 1
```

3
```
2 1 ) 6 3 8
```

152

4
```
5 6 ) 5 8 3
```

5
```
2 5 ) 5 1 0
```

6
```
3 4 ) 6 9 5
```

7
```
1 4 ) 5 7 1
```

8
```
3 3 ) 6 6 7
```

9
```
1 7 ) 8 6 2
```

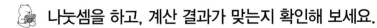
🐻 나눗셈을 하고, 계산 결과가 맞는지 확인해 보세요.

⑩

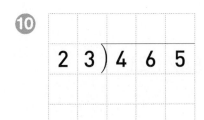

$2\ 3\ )\ 4\ 6\ 5$

확인 $23 \times \boxed{} = \boxed{}$

$460 + \boxed{} = 465$

⑪

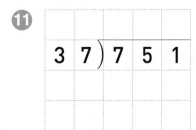

$3\ 7\ )\ 7\ 5\ 1$

확인 $37 \times \boxed{} = \boxed{}$

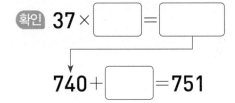

$740 + \boxed{} = 751$

⑫

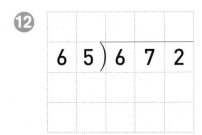

$6\ 5\ )\ 6\ 7\ 2$

확인 $65 \times \boxed{} = \boxed{}$

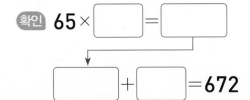

$\boxed{} + \boxed{} = 672$

⑬

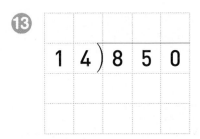

$1\ 4\ )\ 8\ 5\ 0$

확인 $14 \times \boxed{} = \boxed{}$

$\boxed{} + \boxed{} = 850$

⑭

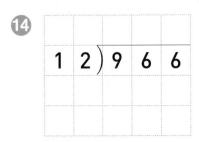

$1\ 2\ )\ 9\ 6\ 6$

확인

⑮

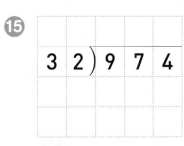

$3\ 2\ )\ 9\ 7\ 4$

확인

4

나눗셈

153

몫이 몇십이고 나머지가 있는
(세 자리 수)÷(두 자리 수)

🐻 나눗셈의 몫과 나머지를 각각 구하세요.

1 312÷15

몫 _____

나머지 _____

2 842÷21

몫 _____

나머지 _____

3 771÷19

몫 _____

나머지 _____

4 950÷47

몫 _____

나머지 _____

5 792÷77

몫 _____

나머지 _____

6 943÷31

몫 _____

나머지 _____

🐻 나머지가 더 큰 것을 찾아 ○표 하세요.

7 596÷29   345÷32

(   )   (   )

8 519÷17   675÷33

(   )   (   )

9 927÷45   703÷69

(   )   (   )

10 604÷58   853÷41

(   )   (   )

플러스 계산 연습

생활 속 계산

🐻 주어진 털실로 뜨개질을 하려고 합니다. 물건을 몇 개까지 만들 수 있고, 털실은 몇 m가 남는지 구하세요.

하나 만드는 데 필요한 털실의 길이	42 m 목도리	28 m 모자

11 432 m로
목도리 만들기

432 ÷ 42 = ☐ … ☐

➡ ☐ 개, ☐ m

12 568 m로
모자 만들기

568 ÷ 28 = ☐ … ☐

➡ ☐ 개, ☐ m

13 855 m로
목도리 만들기

➡ ☐ 개, ☐ m

14 849 m로
모자 만들기

➡ ☐ 개, ☐ m

문장 읽고 계산식 세우기

15 꽃 308송이를 꽃병 한 개에 15송이씩 꽂으면 꽃병은 몇 개가 필요하고, 몇 송이가 남을까?

식 308 ÷ 15 = ☐ … ☐
_____

답 _____ 개, _____ 송이

16 책 257권을 책꽂이 한 칸에 24권씩 꽂으면 책꽂이는 몇 칸이 필요하고, 몇 권이 남을까?

식 257 ÷ 24 = ☐ … ☐
_____

답 _____ 칸, _____ 권

몫이 두 자리 수이고 나머지가 없는
(세 자리 수)÷(두 자리 수)

```
            2 6
  1 4 ) 3 6 4
        2 8
        ─────
          8 4
          8 4
        ─────
            0
```

자리를 맞추어
답을 써야 해요.

4

나눗셈

🐻 계산해 보세요.

①
```
2 5 ) 3 7 5
```

②
```
1 7 ) 3 7 4
```

③
```
3 6 ) 5 0 4
```

④
```
1 3 ) 4 8 1
```

⑤
```
2 3 ) 9 6 6
```

⑥
```
5 7 ) 6 8 4
```

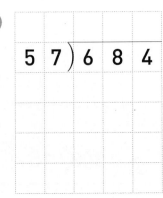

기초 계산 연습

7 11) 1 7 6

8 49) 6 3 7

9 34) 8 1 6

 자리를 잘 맞추어 세로로 쓰고 계산해요.

10 240 ÷ 16 =

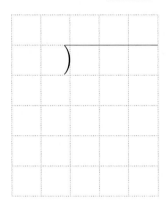

11 528 ÷ 24 =

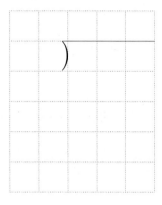

12 666 ÷ 37 =

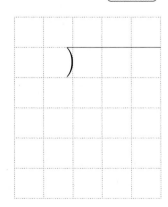

13 759 ÷ 69 =

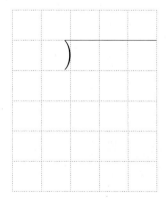

몫이 두 자리 수이고 나머지가 없는
(세 자리 수)÷(두 자리 수)

 계산해 보세요.

1 528÷22=☐

2 195÷13=☐

3 819÷39=☐

4 767÷59=☐

5 663÷51=☐

6 768÷48=☐

4

나눗셈

158

🐻 빈칸에 큰 수를 작은 수로 나눈 몫을 써넣으세요.

7

432	12

8

56	672

9

27	648

10

455	35

11

722	38

12

57	627

플러스 계산 연습

생활 속 계산

주어진 교통수단으로 이동한 시간과 거리입니다. 일정한 빠르기로 갈 때 1분 동안 이동한 거리는 몇 m인지 구하세요.

13

15분에 720 m

$720 \div 15 = \boxed{}$ (m)

14

14분에 896 m

$896 \div 14 = \boxed{}$ (m)

15

22분에 792 m

$792 \div \boxed{} = \boxed{}$ (m)

16

12분에 864 m

$864 \div \boxed{} = \boxed{}$ (m)

문장 읽고 계산식 세우기

17 감자 192개를 자루 한 개에 16개씩 담으면 감자를 담은 자루는 몇 개?

식 $192 \div \boxed{} = \boxed{}$ (개)

18 무 483개를 자루 한 개에 23개씩 담으면 무를 담은 자루는 몇 개?

식 $483 \div \boxed{} = \boxed{}$ (개)

19 공책 288권을 한 명에게 12권씩 나누어 주면 나누어 줄 수 있는 사람은 몇 명?

식 $\boxed{} \div \boxed{} = \boxed{}$ (명)

20 연필 375자루를 한 명에게 25자루씩 나누어 주면 나누어 줄 수 있는 사람은 몇 명?

식 $\boxed{} \div \boxed{} = \boxed{}$ (명)

몫이 두 자리 수이고 나머지가 있는
(세 자리 수)÷(두 자리 수)

 이렇게 해결하자

```
          1 6
   2 4 ) 3 8 8
         2 4
         1 4 8
         1 4 4
               4
```

몫 **16**   나머지 **4**

확인 **24 × 16 = 384**

384 + 4 = 388

 나머지는 항상 나누는 수보다 작아야 해요.

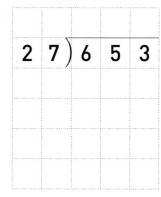

📖 계산해 보세요.

❶
```
1 7 ) 3 6 3
```

❷
```
2 1 ) 3 2 7
```

❸
```
2 7 ) 6 5 3
```

❹
```
3 3 ) 3 8 7
```

❺
```
4 2 ) 7 6 8
```

❻
```
5 4 ) 9 5 8
```

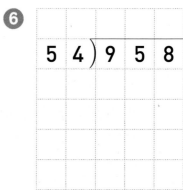

🐻 나눗셈을 하고, 계산 결과가 맞는지 확인해 보세요.

❼
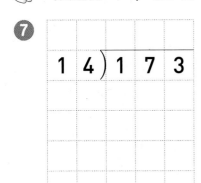

확인 14 × ☐ = ☐

☐ + ☐ = 173

❽
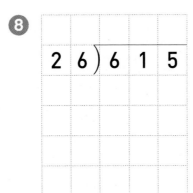

확인 26 × ☐ = ☐

☐ + ☐ = 615

❾
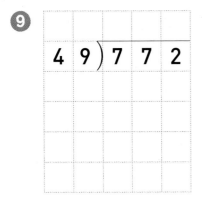

확인 49 × ☐ = ☐

☐ + ☐ = 772

❿
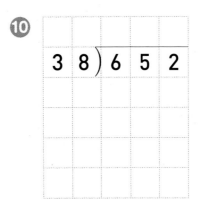

확인 38 × ☐ = ☐

☐ + ☐ = 652

⓫
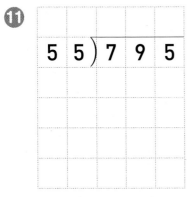

확인_____

⓬
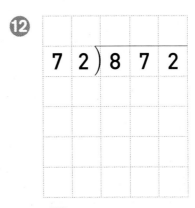

확인_____

4

나
눗
셈

161

몫이 두 자리 수이고 나머지가 있는
(세 자리 수)÷(두 자리 수)

🐻 나눗셈의 몫과 나머지를 각각 구하세요.

1 474÷25

몫 _____

나머지 _____

2 548÷32

몫 _____

나머지 _____

3 301÷12

몫 _____

나머지 _____

4 676÷53

몫 _____

나머지 _____

5 813÷36

몫 _____

나머지 _____

6 543÷47

몫 _____

나머지 _____

🐻 나눗셈을 하여 ▢ 안에는 몫을 써넣고, ◯ 안에는 나머지를 써넣으세요.

7 ÷
741 33 ▢ ◯

8 ÷
818 64 ▢ ◯

9 ÷
603 16 ▢ ◯

10 ÷
915 24 ▢ ◯

4
나
눗
셈

생활 속 계산

과일을 상자에 적힌 개수만큼씩 한 상자에 담아 포장할 때 몇 상자까지 포장할 수 있는지 구하세요.

과일	🍒 체리	🍓 딸기	🫐 자두	🍊 귤
개수	816개	806개	549개	531개

11

52개

$816 \div 52 =$ ☐ … ☐

➡ ☐ 상자

12

38개

$806 \div 38 =$ ☐ … ☐

➡ ☐ 상자

13

45개

$549 \div$ ☐ $=$ ☐ … ☐

➡ ☐ 상자

14

24개

$531 \div$ ☐ $=$ ☐ … ☐

➡ ☐ 상자

문장 읽고 계산식 세우기

15 밀가루 65 g으로 도넛 한 개를 만들 수 있을 때 밀가루 735 g으로 도넛을 몇 개까지 만들 수 있고, 몇 g이 남을까?

식 $735 \div 65 =$ ☐ … ☐

답 _____ 개, _____ g

16 설탕 25 g으로 베이글 한 개를 만들 수 있을 때 설탕 578 g으로 베이글을 몇 개까지 만들 수 있고, 몇 g이 남을까?

식 $578 \div$ ☐ $=$ ☐ … ☐

답 _____ 개, _____ g

제한 시간 15분

 계산해 보세요.

① $30\overline{)360}$

② $20\overline{)71}$

③ $60\overline{)320}$

④ $70\overline{)232}$

⑤ $36\overline{)72}$

⑥ $56\overline{)448}$

⑦ $14\overline{)840}$

⑧ $16\overline{)352}$

⑨ $48\overline{)630}$

⑩ $60 \div 20$

⑪ $150 \div 30$

⑫ $800 \div 40$

⑬ $550 \div 40$

⑭ $725 \div 50$

⑮ $740 \div 35$

4
나눗셈

🐻 빈칸에 알맞은 수를 써넣으세요.

⑯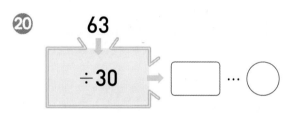

240   ÷80

⑰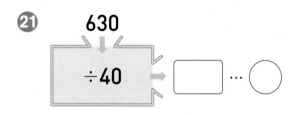

96   ÷48

⑱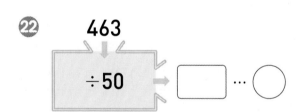

215   ÷43

⑲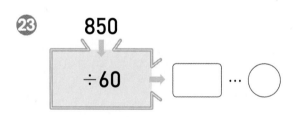

832   ÷32

🐻 나눗셈을 하여 ☐ 안에는 몫을 써넣고, ◯ 안에는 나머지를 써넣으세요.

⑳ 63

÷30 → ☐ ⋯ ◯

㉑ 630

÷40 → ☐ ⋯ ◯

㉒ 463

÷50 → ☐ ⋯ ◯

㉓ 850

÷60 → ☐ ⋯ ◯

㉔ 761

÷30 → ☐ ⋯ ◯

㉕ 728

÷45 → ☐ ⋯ ◯

제한 시간 안에 정확하게
모두 풀었다면 여러분은 진정한 **계산왕!**

문장제 문제 도전하기

1 120 ÷ 20 = ⬚

이 나눗셈식이 실생활에서 어떤 상황에 이용될까요?

→ 색종이 **120**장을 한 묶음에 **20**장씩 묶으면 색종이는 몇 묶음이 될까요?

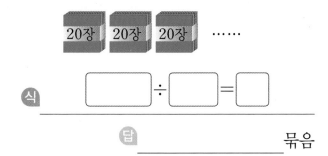

식 ⬚ ÷ ⬚ = ⬚

답 _____ 묶음

2 360 ÷ 50 = ⬚ … ⬚

→ 귤 **360**개를 한 상자에 **50**개씩 담으면 몇 상자가 되고, 몇 개가 남을까요?

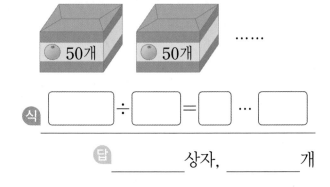

식 ⬚ ÷ ⬚ = ⬚ … ⬚

답 _____ 상자, _____ 개

3 96 ÷ 30 = ⬚ … ⬚

→ 색 테이프 **96** cm를 **30** cm씩 자르면 몇 도막이 되고, 몇 cm가 남을까요?

식 ⬚ ÷ ⬚ = ⬚ … ⬚

답 _____ 도막, _____ cm

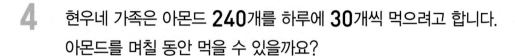

문장을 읽고 알맞은 나눗셈식을 세워 답을 구해 보자!

4 현우네 가족은 아몬드 **240**개를 하루에 **30**개씩 먹으려고 합니다.
아몬드를 며칠 동안 먹을 수 있을까요?

$$\boxed{} \div \boxed{} = \boxed{}\text{(일)}$$

5 상자 한 개를 묶는 데 끈이 **50** cm 필요합니다.
끈 **476** cm로 상자를 몇 개까지 묶을 수 있을까요?

$$\boxed{} \div \boxed{} = \boxed{} \cdots \boxed{} \Rightarrow \boxed{}\text{개}$$

6 학생 **377**명이 **30**인승 버스에 타려고 합니다.
학생들이 모두 타려면 버스는 적어도 몇 대 필요할까요?

$$\boxed{} \div \boxed{} = \boxed{} \cdots \boxed{} \Rightarrow \boxed{}\text{대}$$

문장제 문제 도전하기

7 75÷15= ⬜

이 나눗셈식이 실생활에서 어떤 상황에 이용될까요?

→ 사과 **75**개를 한 상자에 **15**개씩 담으려고 합니다. 몇 상자까지 담을 수 있을까요?

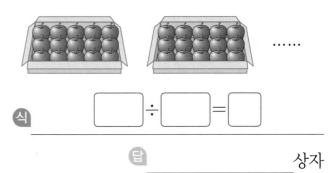

식 ⬜ ÷ ⬜ = ⬜

답 _____ 상자

4
나눗셈

168

8 492÷24
= ⬜ … ⬜

→ 옥수수 **492**개를 자루 한 개에 **24**개씩 담으면 옥수수는 몇 개가 남을까요?

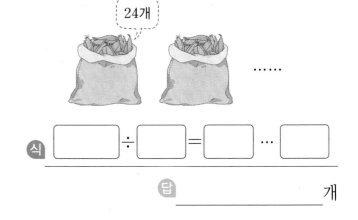

24개

식 ⬜ ÷ ⬜ = ⬜ … ⬜

답 _____ 개

9 134÷14= ⬜ … ⬜

→ 공책 **134**권을 한 명에게 **14**권씩 나누어 주려고 합니다. 몇 명까지 나누어 줄 수 있고, 몇 권이 남을까요?

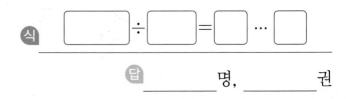

식 ⬜ ÷ ⬜ = ⬜ … ⬜

답 _____ 명, _____ 권

문장을 읽고 알맞은 나눗셈식을 세워 답을 구해 보자!

10 우유 **760** mL를 컵 한 개에 **95** mL씩 담으려고 합니다.

컵을 몇 개까지 담을 수 있을까요?

95 mL

760 mL

$$\boxed{} \div \boxed{} = \boxed{} \text{(개)}$$

11 어느 수목원에서 나무 **585**그루를 한 줄에 **36**그루씩 심었습니다.

심은 나무는 몇 줄이 되고, 몇 그루가 남을까요?

$$\boxed{} \div \boxed{} = \boxed{} \cdots \boxed{} \rightarrow \boxed{}\text{줄}, \boxed{}\text{그루}$$

12 학생 **187**명이 **12**명씩 앉을 수 있는 긴 의자에 앉으려고 합니다.

학생들이 모두 앉으려면 긴 의자는 적어도 몇 개 필요할까요?

$$\boxed{} \div \boxed{} = \boxed{} \cdots \boxed{} \rightarrow \boxed{}\text{개}$$

4

나눗셈

창의·융합·코딩·도전하기

비밀번호를 맞혀라!

 사무실 금고의 비밀번호를 알아내려고 합니다.

 힌트 **1**, **2**, **3**의 몫을 이용하여 금고의 비밀번호를 찾아보세요.

힌트 **1**

$$16\overline{)48}$$

힌트 **2**

$$23\overline{)184}$$

힌트 **3**

$$48\overline{)240}$$

금고의 비밀번호는 **1** **2** **3** 입니다.

융합 2 축구는 한 팀에 11명의 선수가 있습니다.
학생 71명이 축구를 하기 위해 팀을 만들려고 합니다.
몇 팀까지 만들 수 있고, 몇 명이 남을까요?

> 축구는 골키퍼를 포함하여
> 11명의 선수가 한 팀이에요.

답 _____ 팀, _____ 명

코딩 3 어떤 수의 계산 과정을 나타낸 순서도입니다.
시작 수가 76일 때 출력된 수를 구하세요.

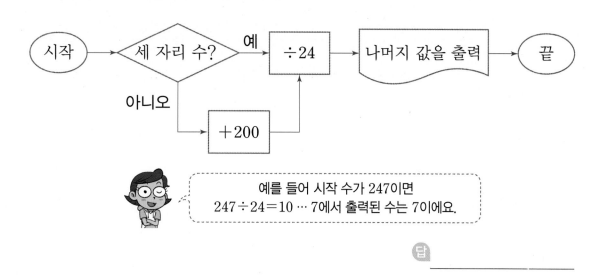

> 예를 들어 시작 수가 247이면
> $247 \div 24 = 10 \cdots 7$에서 출력된 수는 7이에요.

답 _____

MEMO

배움으로 행복한 내일을 꿈꾸는
천재교육 커뮤니티 안내 . . .

교재 안내부터 구매까지 한 번에!
천재교육 홈페이지

자사가 발행하는 참고서, 교과서에 대한 소개는 물론
도서 구매도 할 수 있습니다. 회원에게 지급되는 별을 모아
다양한 상품 응모에도 도전해 보세요!

다양한 교육 꿀팁에 깜짝 이벤트는 덤!
천재교육 인스타그램

천재교육의 새롭고 중요한 소식을 가장 먼저 접하고 싶다면?
천재교육 인스타그램 팔로우가 필수!
깜짝 이벤트도 수시로 진행되니 놓치지 마세요!

수업이 편리해지는
천재교육 ACA 사이트

오직 선생님만을 위한, 천재교육 모든 교재에 대한 정보가 담긴
아카 사이트에서는 다양한 수업자료 및 부가 자료는 물론
시험 출제에 필요한 문제도 다운로드하실 수 있습니다.

https://aca.chunjae.co.kr

천재교육을 사랑하는 샘들의 모임
천사샘

학원 강사, 공부방 선생님이시라면 누구나 가입할 수 있는 천사샘!
교재 개발 및 평가를 통해 교재 검토진으로 참여할 수 있는 기회는 물론
다양한 교사용 교재 증정 이벤트가 선생님을 기다립니다.

아이와 함께 성장하는 학부모들의 모임공간
튠맘 학습연구소

튠맘 학습연구소는 초·중등 학부모를 대상으로 다양한 이벤트와 함께
교재 리뷰 및 학습 정보를 제공하는 네이버 카페입니다.
초등학생, 중학생 자녀를 둔 학부모님이라면 튠맘 학습연구소로 오세요!

#차원이_다른_클라쓰
#강의전문교재
#초등교재

수학교재

●수학리더 시리즈
- 수학리더 [연산]   예비초~6학년/A·B단계
- 수학리더 [개념]   1~6학년/학기별
- 수학리더 [기본]   1~6학년/학기별
- 수학리더 [유형]   1~6학년/학기별
- 수학리더 [기본＋응용]   1~6학년/학기별
- 수학리더 [응용·심화]   1~6학년/학기별
- 수학리더 [최상위]   3~6학년/학기별

●독해가 힘이다 시리즈 *문제해결력
- 수학도 독해가 힘이다   1~6학년/학기별
- 초등 문해력 독해가 힘이다 문장제 수학편   1~6학년/단계별

●수학의 힘 시리즈
- 수학의 힘   1~2학년/학기별
- 수학의 힘 알파 [실력]   3~6학년/학기별
- 수학의 힘 베타 [유형]   3~6학년/학기별

●Go! 매쓰 시리즈
- Go! 매쓰(Start) *교과서 개념   1~6학년/학기별
- Go! 매쓰(Run A/B/C) *교과서+사고력   1~6학년/학기별
- Go! 매쓰(Jump) *유형 사고력   1~6학년/학기별

●계산박사   1~12단계

●수학 더 익힘   1~6학년/학기별

월간교재

●NEW 해법수학   1~6학년

●해법수학 단원평가 마스터   1~6학년/학기별

●월간 무등생평가   1~6학년

전과목교재

●리더 시리즈
- 국어   1~6학년/학기별
- 사회   3~6학년/학기별
- 과학   3~6학년/학기별

해법★전략

수학리더
연산
4A

- 혼자서도 이해할 수 있는 친절한 문제 풀이

- OX퀴즈로 계산 원리 다시 알아보기

천재교육

해법전략
포인트 **3**가지

▶ 혼자서도 이해할 수 있는 친절한 문제 풀이

▶ 참고, 주의 등 자세한 풀이 제시

▶ OX퀴즈로 계산 원리 다시 알아보기

정답과 해설

1 큰 수

※ 개념 ○✕ 퀴즈

옳으면 ○에, 틀리면 ✕에 ○표 하세요.

10000이 1개, 1000이 5개, 100이 2개, 10이 7개, 1이 3개인 수는 15273이라고 해요.

○   ✕

정답은 5쪽에서 확인하세요.

1 일차 기초 계산 연습 6~7쪽

❶ 34628   ❷ 51473
❸ 45791   ❹ 60384
❺ 78902   ❻ 95640
❼ 2   ❽ 6   ❾ 6   ❿ 5
⓫ 5   ⓬ 7   ⓭ 5   ⓮ 0

❼ 12385
→ 10000이 1개, 1000이 2개, 100이 3개,
10이 8개, 1이 5개인 수

❽ 27268
→ 10000이 2개, 1000이 7개, 100이 2개,
10이 6개, 1이 8개인 수

1 일차 플러스 계산 연습 8~9쪽

1 11527   **2** 삼만 사천백팔십사
3 25094   **4** 오만 이천이백육
5 90500   **6** 팔만 사천백삼십
7 7000, 20   **8** 70000, 500
9 600, 5
10 23250   **11** 34140
12 46310   **13** 35260
14 67000   **15** 70500
16 54294   **17** 92674

1 만 천오백이십칠 ➡ 1만 1527
➡ 11527

2 34184 ➡ 3만 4184
➡ 삼만 사천백팔십사

10 10000원짜리 지폐 2장 ➡ 20000원
1000원짜리 지폐 3장 ➡ 3000원
100원짜리 동전 2개 ➡ 200원
10원짜리 동전 5개 ➡ 50원
23250원

11 10000원짜리 지폐 3장 ➡ 30000원
1000원짜리 지폐 4장 ➡ 4000원
100원짜리 동전 1개 ➡ 100원
10원짜리 동전 4개 ➡ 40원
34140원

16 50000＋4000＋200＋90＋4＝54294

17 90000＋2000＋600＋70＋4＝92674

2 일차 기초 계산 연습 10~11쪽

❶ 132800   ❷ 3256000
❸ 1273500   ❹ 4031655
❺ 7614349   ❻ 12570740
❼ 2600034   ❽ 14700506
❾ 27   ❿ 7152   ⓫ 1657   ⓬ 516
⓭ 374   ⓮ 900   ⓯ 3610   ⓰ 8416
⓱ 260   ⓲ 8   ⓳ 73   ⓴ 70

❶ 13 2800 ➡ 132800
만 일

참고

'13만 2800'도 정답으로 인정합니다.

❻ 1257 0740 ➡ 12570740
만 일

❼ 260 0034 ➡ 2600034
만 일

❽ 1470 0506 ➡ 14700506
만 일

⑰ 260 | 0030 ➡ 만이 260개, 일이 30개인 수
　　만　일

⑱ 1975 | 0008 ➡ 만이 1975개, 일이 8개인 수
　　만　일

⑲ 585 | 0073 ➡ 만이 585개, 일이 73개인 수
　　만　일

⑳ 70 | 0571 ➡ 만이 70개, 일이 571개인 수
　만　일

2 일차 **플러스 계산 연습** 12~13쪽

1 540000　　**2** 이십만 사천육백십
3 1064325　　**4** 육백구십칠만 삼천오백
5 20503080　**6** 칠천사백오십일만 오백삼십육
7 300000 또는 30만
8 2000000 또는 200만
9 10000000 또는 1000만
10 4000000 또는 400만
11 1300000　　　**12** 2040000
13 1050000　　　**14** 1200000
15 60　　　　　　**16** 300
17 1058만 또는 10580000
18 1264만 또는 12640000

5 2050만 3080 ➡ 20503080

6 74510536 ➡ 7451만 536
　　　　　　➡ 칠천사백오십일만 오백삼십육

참고
수를 읽을 때에는 일의 자리에서부터 네 자리씩 끊은 다음 가장 높은 자리부터 차례로 읽습니다.

7 4832 | 0000
　　만　일
　　　➡ 십만의 자리 숫자, 300000

8 8245 | 0300
　　만　일
　　　➡ 백만의 자리 숫자, 2000000

13 10000원짜리 지폐 100장 ➡ 1000000원
　　1000원짜리 지폐　50장 ➡ 　50000원
　　　　　　　　　　　　　　　1050000원

14 10000원짜리 지폐 110장 ➡ 1100000원
　　1000원짜리 지폐 100장 ➡ 　100000원
　　　　　　　　　　　　　　　1200000원

17 100만이 10개 ➡ 1000만
　　10만이　5개 ➡ 　50만
　　만이　8개 ➡ 　　8만
　　　　　　　　　　1058만

18 100만이 12개 ➡ 1200만
　　10만이　6개 ➡ 　60만
　　만이　4개 ➡ 　　4만
　　　　　　　　　　1264만

3 일차 **기초 계산 연습** 14~15쪽

❶ 516002957　　❷ 4350026820
❸ 12861304200　❹ 31550001724
❺ 579000178400　❻ 218354110028
❼ 423325370000　❽ 67800004132
❾ 35　❿ 6741　⓫ 3405　⓬ 743
⓭ 52　⓮ 56　⓯ 436　⓰ 6912
⓱ 740　⓲ 25

❶ 5 | 1600 | 2957 ➡ 516002957
　억　만　일

참고
'5억 1600만 2957'도 정답으로 인정합니다.

❻ 2183 | 5411 | 0028 ➡ 218354110028
　억　万　일

❼ 4233 | 2537 | 0000 ➡ 423325370000
　억　만　일

❽ 678 | 0000 | 4132 ➡ 67800004132
　억　만　일

⓰ 6912 | 1051 | 0009 ➡ 억이 6912개, 만이 1051개,
　억　만　일　　일이 9개인 수

⓱ 408 | 0740 | 0945 ➡ 억이 408개, 만이 740개,
　억　만　일　　일이 945개인 수

⓲ 1570 | 2004 | 0025 ➡ 억이 1570개, 만이 2004개,
　억　만　일　　일이 25개인 수

③ 일차　플러스 계산 연습　16~17쪽

1 60200000000　　**2** 칠백오십육억

3 100025300000　　**4** 이백사억 칠천만

5 93000000048

6 사십칠억 오천만 삼천육백

7 40000000000 또는 400억 ;
700000000 또는 7억

8 20000000000 또는 200억 ;
20000000 또는 2000만

9 500000000000 또는 5000억 ;
400000000 또는 4억

10 5000000000 또는 50억 ;
10000000 또는 1000만

11 1444216102　　**12** 1393409033

13 332915074　　**14** 276361788

15 1억 또는 100000000

16 3억 또는 300000000

17 318034075012　　**18** 453248000748

---

5 930억 48 ➡ 93000000048

6 47억 5000만 3600 ➡ 사십칠억 오천만 삼천육백

7 42700000000
┗➤ 백억의 자리 숫자, 40000000000
　➤ 억의 자리 숫자, 700000000

8 129027000000
┗➤ 백억의 자리 숫자, 20000000000
　➤ 천만의 자리 숫자, 20000000

④ 일차　기초 계산 연습　18~19쪽

❶ 1294550001200　　**❷** 7670029454003

❸ 4670000000000　　**❹** 12000050060000

❺ 20123580000000　　**❻** 501215600000322

❼ 145000800000400　　**❽** 3811000000250145

❾ 23　　**❿** 1400　　**⓫** 2000　　**⓬** 785

⓭ 1125　　**⓮** 7000　　**⓯** 1314　　**⓰** 7

⓱ 19　　**⓲** 83

❶ **참고**
'1조 2945억 5000만 1200'도 정답으로 인정합니다.

---

⑧ 3811 | 0000 | 0025 | 0145
　　조　　억　　만　　일
➡ 3811000000250145

⑰ 327 | 8420 | 0000 | 0019
　　조　　억　　만　　일
➡ 조가 327개, 억이 8420개, 일이 19개인 수

⑱ 9612 | 0083 | 2945 | 0011
　　조　　억　　만　　일
➡ 조가 9612개, 억이 83개, 만이 2945개,
일이 11개인 수

④ 일차　플러스 계산 연습　20~21쪽

1 27000000000000　　**2** 오십팔조

3 103080000000000　　**4** 삼십조 칠백억 십구

5 504002300000108　　**6** 이백십구조 팔백칠억

7 십조에 ○표 ; 40000000000000 또는 40조

8 백조에 ○표 ; 500000000000000 또는 500조

9 조에 ○표 ; 7000000000000 또는 7조

10 천조에 ○표 ;
6000000000000000 또는 6000조

11 56790000000000

12 3092000000800000

13 410000530090000

14 217090000000000

15 1조 또는 1000000000000

16 2조 또는 2000000000000

17 3278510040567

18 25046028000011

---

5 504조 23억 108 ➡ 504002300000108

6 219조 807억 ➡ 이백십구조 팔백칠억

7 48700000000000
┗➤ 십조의 자리 숫자, 40000000000000

8 2500110000000000
┗➤ 백조의 자리 숫자, 500000000000000

11 56조 7900억 ➡ 56790000000000

12 3092조 80만 ➡ 3092000000800000

17 3 | 2785 | 1004 | 0567 ➡ 3278510040567
　조　　억　　만　　일

18

25	0460	2800	0011	→ 25046028000011
조	억	만	일	

---

⑤ 일차 **기초 계산 연습** 22~23쪽

❶ 36500, 46500　　❷ 440만, 640만

❸ 35억, 45억　　　❹ 440조 3만, 640조 3만

❺ 74800, 94800　　❻ 40억, 41억

❼ 25조 2억, 45조 2억　❽ 250만, 400만

❾ 915조, 1015조　　❿ 342억, 382억

⓫ 1억 9030만, 2억 30만

❺ 만의 자리 수가 2씩 커지므로 2만씩 뛰어 센 것입니다.

❻ 억의 자리 수가 1씩 커지므로 1억씩 뛰어 센 것입니다.

❼ 십조의 자리 수가 1씩 커지므로 10조씩 뛰어 센 것입니다.

---

⑤ 일차 **플러스 계산 연습** 24~25쪽

1 270만 ; 2만

2 1조 330억 ; 100억

3 (위부터) 677200 ; 567200 ; 457200 ; 367200

4 (위부터) 3312조 ; 2302조, 2312조 ; 1292조 ; 302조

5 135000, 165000, 195000, 225000 ; 225000

6 20만, 25만, 30만, 35만, 40만 ; 40만

7 520만　　　　**8** 1조 80억

9 5억 923만　　**10** 7조 420억

7 470만 – 480만 – 490만 – 500만 – 510만 – 520만
　　　　1번　　2번　　3번　　4번　　5번

8 1조 40억 – 1조 50억 – 1조 60억 – 1조 70억 – 1조 80억
　　　　　1번　　　2번　　　3번　　　4번

9 5억 123만 – 5억 323만 – 5억 523만 – 5억 723만 – 5억 923만
　　　　　1번　　　2번　　　3번　　　4번

10 7조 20억 – 7조 120억 – 7조 220억 – 7조 320억 – 7조 420억
　　　　　1번　　　2번　　　3번　　　4번

---

⑥ 일차 **기초 계산 연습** 26~27쪽

❶ <　　❷ >　　❸ <　　❹ <

❺ >　　❻ <　　❼ >　　❽ >

❾ <　　❿ >　　⓫ >　　⓬ <

⓭ <　　⓮ >　　⓯ >　　⓰ <

⓱ >　　⓲ >　　⓳ <　　⓴ <

㉑ >　　㉒ <　　㉓ >

❶ 85200 < 341000
　(5자리 수)　(6자리 수)

❷ 129000 > 95700
　(6자리 수)　(5자리 수)

❸ 57800 < 57900
　　　└8<9┘

❹ 367562 < 420985
　　　└3<4┘

㉑ 432조 5100억 > 423조 9050억
　　　└3>2┘

㉒ 208억 4083만 < 280억 1900만
　　　└0<8┘

㉓ 31025700000000 > 31000013000000
　　　└2>0┘

---

⑥ 일차 **플러스 계산 연습** 28~29쪽

1 □○（위）　**2** □○（아래）　**3** □○（아래）

4 ○□（위）　**5** ○□（위）　**6** □○（아래）

7 (△) (　) (○)　**8** (○) (△) (　)

9 <　　　　**10** <

11 2560000　　**12** 786000

13 104억 75만　**14** 16조 920만

15 냉장고　　　**16** 세탁기

7 6483000 > 6482723 > 6482710
　　　└3>2┘　　└2>1┘

8 3011000000 > 3004230000 > 3004200000
　　　└1>0┘　　　└3>0┘

15 180만 > 127만
　　　└8>2┘

➡ 가격이 더 높은 전자 제품은 냉장고입니다.

16 1050000 < 1135000
　　　└0<1┘

➡ 가격이 더 낮은 전자 제품은 세탁기입니다.

평가 SPEED 연산력 TEST 30~31쪽

① 25817 ② 74283
③ 201500 ④ 1102000000
⑤ 2032025000000 ⑥ 460162000000089
⑦ 2800650000 ⑧ 육만 천사백구
⑨ 501000300200000 ⑩ 삼십이만 팔천구백오십
⑪ 54610, 64610 ⑫ 600억, 700억
⑬ 120조, 180조 ⑭ 8055만, 8355만
⑮ < ⑯ < ⑰ > ⑱ >
⑲ < ⑳ >

⑦ 28억 65만 ➡ 2800650000

⑧ 6만 1409 ➡ 육만 천사백구

⑳ 454310000 > 400005431
　　　└─── 5>0 ───┘

특강 문장제 문제 도전하기 32~33쪽

1 25600 ; 25600 2 350 ; 350
3 나 ; 나 4 375000000
5 570000, 580000, 590000, 600000 ; 600000
6 나

6 오십육만 사천: 564000
564000 > 560850 > 559410
➡ 가장 많이 만든 인형은 나입니다.

특강 창의·융합·코딩·도전하기 34~35쪽

창의1 ① 1 ② 2 ③ 4 ④ 7 ; 1, 2, 4, 7
융합2 오천백팔십이만 천육백육십구
융합3 금성, 지구, 토성

융합3 108200000 < 149600000 < 1427000000
➡ 태양에서 가까운 순서대로 행성의 이름을 써
보면 금성, 지구, 토성입니다.

개념 ○╳ 퀴즈 정답

◎ ╳

10000＋5000＋200＋70＋3＝15273

2 각 도

☀ 개념 ○╳ 퀴즈

옳으면 ○에, 틀리면 ╳에 ○표 하세요.

삼각형의 세 각의 크기의 합은
360°예요.

○ ╳

정답은 8쪽에서 확인하세요.

1 일차 기초 계산 연습 38~39쪽

① 50 ② 60 ③ 75 ④ 110
⑤ 120 ⑥ 145 ⑦ 30 ⑧ 55
⑨ 140 ⑩ 85 ⑪ 120 ⑫ 150
⑬ 70 ⑭ 215 ⑮ 260 ⑯ 120
⑰ 80 ⑱ 161 ⑲ 185 ⑳ 142

1 일차 플러스 계산 연습 40~41쪽

1 80 2 130 3 240 4 160
5 120 6 170 7 165 8 120
9 10 11 120
12 210
13 52, 186 14 52, 90 15 30, 150
16 25, 120 17 90, 40, 130 18 90, 35, 125

9 80°＋40°＝120°, 70°＋45°＝115°,
65°＋60°＝125°

10 90°＋15°＝105°, 80°＋35°＝115°,
55°＋70°＝125°

17 90°보다 40°만큼 더 큰 각도
➡ 90°＋40°＝130°

18 90°보다 35°만큼 더 큰 각도
➡ 90°＋35°＝125°

정답과 해설

② 일차　기초 계산 연습　42~43쪽

❶ 30	❷ 30	❸ 50	❹ 50
❺ 65	❻ 45	❼ 40	❽ 15
❾ 30	❿ 50	⓫ 15	⓬ 45
⓭ 80	⓮ 40	⓯ 40	⓰ 85
⓱ 34	⓲ 85	⓳ 27	⓴ 63

② 일차　플러스 계산 연습　44~45쪽

1 30	**2** 30	**3** 30	**4** 25
5 20	**6** 35	**7** 60	**8** 25
9	**10**	**11** 60	
		12 90	
13 90, 60	**14** 120, 60	**15** 15, 70	
16 35, 65	**17** 90, 20, 70	**18** 90, 45, 45	

1 $30° < 60°$ ➡ $60° - 30° = 30°$

참고
두 각도의 차는 큰 각도에서 작은 각도를 뺍니다.

2 $100° > 70°$ ➡ $100° - 70° = 30°$

9 $70° - 25° = 45°$, $85° - 35° = 50°$,
$70° - 10° = 60°$

10 $165° - 110° = 55°$, $145° - 105° = 40°$,
$155° - 95° = 60°$

17 90°보다 20°만큼 더 작은 각도
➡ $90° - 20° = 70°$

18 90°보다 45°만큼 더 작은 각도
➡ $90° - 45° = 45°$

③ 일차　기초 계산 연습　46~47쪽

❶ 70	❷ 105	❸ 70
❹ 30	❺ 80	❻ 75
❼ 70	❽ 60	❾ 90
❿ 60	⓫ 35	⓬ 75
⓭ 85	⓮ 50	⓯ 40
⓰ 15	⓱ 115	⓲ 100

❶ $\square° = 180° - 60° - 50° = 70°$

❷ $\square° = 180° - 45° - 30° = 105°$

❼ $180° - 30° - 80° = 70°$

❽ $180° - 70° - 50° = 60°$

❾ $180° - 65° - 25° = 90°$

❿ $180° - 100° - 20° = 60°$

⓫ $180° - 110° - 35° = 35°$

⓬ $180° - 50° - 55° = 75°$

⓭ $180° - 25° - 70° = 85°$

⓮ $180° - 65° - 65° = 50°$

⓯ $180° - 90° - 50° = 40°$

⓰ $180° - 60° - 105° = 15°$

⓱ $180° - 40° - 25° = 115°$

⓲ $180° - 35° - 45° = 100°$

③ 일차　플러스 계산 연습　48~49쪽

1 140	**2** 70
3 125	**4** 150
5 ( )(×)( )	**6** (×)( )( )
7 ( )( )(×)	
8 45	**9** 40
10 75, 50	**11** 20, 120
12 40, 55	**13** 105, 45
14 150, 30	**15** 75, 105

1 $40° + ㉠ + ㉡ = 180°$
➡ $㉠ + ㉡ = 180° - 40° = 140°$

2 $㉠ + ㉡ + 110° = 180°$
➡ $㉠ + ㉡ = 180° - 110° = 70°$

5 $60° + 35° + 85° = 180°$, $75° + 50° + 65° = 190°$,
$20° + 40° + 120° = 180°$

6 $30° + 90° + 70° = 190°$, $65° + 45° + 70° = 180°$,
$55° + 75° + 50° = 180°$

7 $35° + 35° + 110° = 180°$, $70° + 50° + 60° = 180°$,
$65° + 25° + 80° = 170°$

6

4 일차 기초 계산 연습 50~51쪽

❶ 80	❷ 100	❸ 65
❹ 70	❺ 95	❻ 120
❼ 145	❽ 125	❾ 140
❿ 110	⓫ 40	⓬ 125
⓭ 120	⓮ 145	⓯ 60
⓰ 100	⓱ 135	⓲ 65

❶ $\square° = 360° - 110° - 90° - 80° = 80°$

❷ $\square° = 360° - 75° - 80° - 105° = 100°$

❼ $360° - 60° - 85° - 70° = 145°$

❽ $360° - 95° - 100° - 40° = 125°$

❾ $360° - 120° - 60° - 40° = 140°$

❿ $360° - 60° - 70° - 120° = 110°$

⓫ $360° - 125° - 105° - 90° = 40°$

⓬ $360° - 110° - 75° - 50° = 125°$

⓭ $360° - 130° - 90° - 20° = 120°$

⓮ $360° - 70° - 30° - 115° = 145°$

⓯ $360° - 145° - 75° - 80° = 60°$

⓰ $360° - 80° - 145° - 35° = 100°$

⓱ $360° - 55° - 40° - 130° = 135°$

⓲ $360° - 105° - 65° - 125° = 65°$

4 일차 플러스 계산 연습 52~53쪽

1 220	**2** 170
3 200	**4** 170
5 ( )( )(×)	**6** ( )(×)( )
7 ( )( )(×)	
8 다	**9** 마
10 나	**11** 바
12 30	**13** 50

1 $65° + ㉠ + ㉡ + 75° = 360°$
➜ $㉠ + ㉡ = 360° - 65° - 75° = 220°$

2 $㉠ + 85° + ㉡ + 105° = 360°$
➜ $㉠ + ㉡ = 360° - 85° - 105° = 170°$

5 $100° + 45° + 135° + 80° = 360°,$
$70° + 75° + 100° + 115° = 360°,$
$120° + 75° + 95° + 60° = 350°$

6 $65° + 90° + 125° + 80° = 360°,$
$130° + 100° + 20° + 120° = 370°,$
$140° + 120° + 75° + 25° = 360°$

8 (나머지 한 각의 크기)
$= 360° - 60° - 120° - 110° = 70°$

9 (나머지 한 각의 크기)
$= 360° - 90° - 90° - 100° = 80°$

10 (나머지 한 각의 크기)
$= 360° - 125° - 55° - 115° = 65°$

11 (나머지 한 각의 크기)
$= 360° - 70° - 155° - 60° = 75°$

평가 SPEED 연산력 TEST 54~55쪽

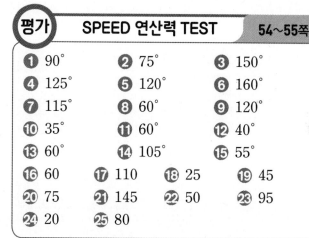

❶ 90°	❷ 75°	❸ 150°
❹ 125°	❺ 120°	❻ 160°
❼ 115°	❽ 60°	❾ 120°
❿ 35°	⓫ 60°	⓬ 40°
⓭ 60°	⓮ 105°	⓯ 55°

⓰ 60	⓱ 110	⓲ 25	⓳ 45
⓴ 75	㉑ 145	㉒ 50	㉓ 95
㉔ 20	㉕ 80		

⓰ $\square° = 180° - 70° - 50° = 60°$

⓱ $\square° = 360° - 90° - 75° - 85° = 110°$

⓲ $\square° = 180° - 35° - 120° = 25°$

⓳ $\square° = 360° - 120° - 115° - 80° = 45°$

⓴ $\square° = 180° - 65° - 40° = 75°$

㉑ $\square° = 360° - 80° - 75° - 60° = 145°$

㉒ $\square° = 180° - 95° - 35° = 50°$

㉓ $\square° = 360° - 75° - 80° - 110° = 95°$

㉔ $\square° = 180° - 100° - 60° = 20°$

㉕ $\square° = 360° - 145° - 75° - 60° = 80°$

정답과 해설

특강 문장제 문제 도전하기 56~57쪽

1 105 ; 85, 20, 105 ; 105°
2 45 ; 45, 90, 45 (또는 90, 45, 45) ; 45°
3 80 ; 100, 80 ; 80°
4 110, 45, 65
5 180, 40, 105, 35
6 360, 120, 35, 205 (또는 360, 35, 120, 205)

특강 창의·융합·코딩·도전하기 58~59쪽

창의1 반, 지

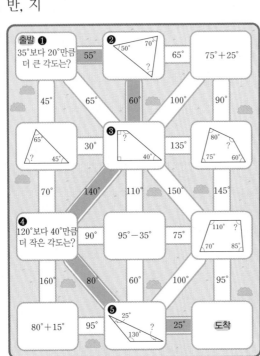

창의1 35°+65°=100° ➡ ①=100°
90°-15°=75° ➡ ②=75°

창의2 ❶ 35°+20°=55°
❷ 180°-50°-70°=60°
❸ 360°-90°-90°-40°=140°
❹ 120°-40°=80°
❺ 180°-25°-130°=25°

✻ 개념 ◯✕ 퀴즈 정답

삼각형의 세 각의 크기의 합은 180°입니다.

---

3 곱 셈

✻ 개념 ◯✕ 퀴즈

옳으면 ◯에, 틀리면 ✕에 ◯표 하세요.

300×40=1200

◯　　　✕

정답은 14쪽에서 확인하세요.

1 일차 기초 계산 연습 62~63쪽

❶ 12000　❷ 18000　❸ 14000
❹ 24000　❺ 25000　❻ 16000
❼ 28000　❽ 48000　❾ 27000
❿ 10000　⓫ 12000　⓬ 35000
⓭ 21000　⓮ 32000　⓯ 18000
⓰ 42000　⓱ 64000　⓲ 36000

⓳ 20000 ;

			4	0	0
×				5	0
2	0	0	0	0	

⓴ 36000 ;

			6	0	0
×				6	0
3	6	0	0	0	

㉑ 14000 ;

			2	0	0
×				7	0
1	4	0	0	0	

㉒ 45000 ;

			9	0	0
×				5	0
4	5	0	0	0	

㉓ 56000 ;

			8	0	0
×				7	0
5	6	0	0	0	

1 일차 플러스 계산 연습 64~65쪽

1 12000　2 35000　3 49000
4 24000　5 48000　6 56000
7 20000　8 12000　9 28000
10 21000　11 54000　12 72000
13 12000　14 15000
15 60, 30000　16 40, 28000
17 60, 18000　18 40, 32000
19 200, 14000　20 500, 45000

7

$$\begin{array}{r} 5\,0\,0 \\ \times\quad 4\,0 \\ \hline 2\,0\,0\,0\,0 \end{array}$$

8

$$\begin{array}{r} 6\,0\,0 \\ \times\quad 2\,0 \\ \hline 1\,2\,0\,0\,0 \end{array}$$

19 (색종이 70묶음의 수)
= (색종이 한 묶음의 수)×70
= $200 \times 70 = 14000$(장)

20 (90상자에 들어 있는 탁구공의 수)
= (한 상자에 들어 있는 탁구공의 수)×90
= $500 \times 90 = 45000$(개)

7

$$\begin{array}{r} 1\,7\,0 \\ \times\quad 2\,0 \\ \hline 3\,4\,0\,0 \end{array} , \quad \begin{array}{r} 3\,9\,0 \\ \times\quad 2\,0 \\ \hline 7\,8\,0\,0 \end{array}$$

8

$$\begin{array}{r} 4\,5\,0 \\ \times\quad 3\,0 \\ \hline 1\,3\,5\,0\,0 \end{array} , \quad \begin{array}{r} 9\,3\,0 \\ \times\quad 3\,0 \\ \hline 2\,7\,9\,0\,0 \end{array}$$

17 (30봉지에 들어 있는 구슬의 수)
= (한 봉지에 들어 있는 구슬의 수)×30
= $170 \times 30 = 5100$(개)

---

2 일차   기초 계산 연습   66~67쪽

① 6200 ② 6000 ③ 6300
④ 10600 ⑤ 24600 ⑥ 16800
⑦ 12800 ⑧ 27200 ⑨ 56800
⑩ 10400 ⑪ 43200 ⑫ 41500
⑬ 15600 ⑭ 16600 ⑮ 28700
⑯ 19500 ⑰ 31200 ⑱ 17200

⑲ 10500 ;

$$\begin{array}{r} 3\,5\,0 \\ \times\quad 3\,0 \\ \hline 1\,0\,5\,0\,0 \end{array}$$

⑳ 23100 ;

$$\begin{array}{r} 3\,3\,0 \\ \times\quad 7\,0 \\ \hline 2\,3\,1\,0\,0 \end{array}$$

㉑ 20800 ;

$$\begin{array}{r} 5\,2\,0 \\ \times\quad 4\,0 \\ \hline 2\,0\,8\,0\,0 \end{array}$$

㉒ 12600 ;

$$\begin{array}{r} 2\,1\,0 \\ \times\quad 6\,0 \\ \hline 1\,2\,6\,0\,0 \end{array}$$

㉓ 11400 ;

$$\begin{array}{r} 3\,8\,0 \\ \times\quad 3\,0 \\ \hline 1\,1\,4\,0\,0 \end{array}$$

3 일차   기초 계산 연습   70~71쪽

① 2920 ② 4590 ③ 9120
④ 12160 ⑤ 10280 ⑥ 22610
⑦ 14560 ⑧ 12300 ⑨ 31570
⑩ 21240 ⑪ 26200 ⑫ 56210
⑬ 10590 ⑭ 19620 ⑮ 15690
⑯ 24760 ⑰ 14460 ⑱ 14500

⑲ 12750 ;

$$\begin{array}{r} 4\,2\,5 \\ \times\quad 3\,0 \\ \hline 1\,2\,7\,5\,0 \end{array}$$

⑳ 14700 ;

$$\begin{array}{r} 2\,4\,5 \\ \times\quad 6\,0 \\ \hline 1\,4\,7\,0\,0 \end{array}$$

㉑ 18280 ;

$$\begin{array}{r} 9\,1\,4 \\ \times\quad 2\,0 \\ \hline 1\,8\,2\,8\,0 \end{array}$$

㉒ 28200 ;

$$\begin{array}{r} 7\,0\,5 \\ \times\quad 4\,0 \\ \hline 2\,8\,2\,0\,0 \end{array}$$

㉓ 34050 ;

$$\begin{array}{r} 6\,8\,1 \\ \times\quad 5\,0 \\ \hline 3\,4\,0\,5\,0 \end{array}$$

2 일차   플러스 계산 연습   68~69쪽

1 9600   2 15300
3 16800   4 19800
5 35500   6 39000
7 7800, 3400   8 27900, 13500
9 41000, 31500   10 43200, 34800
11 10500   12 18000
13 420, 21000   14 540, 27000
15 10000   16 11400
17 30, 5100   18 60, 8400

3 일차   플러스 계산 연습   72~73쪽

1 8680   2 6480   3 42280
4 21390   5 21040   6 40700
7 6260   8 13520   9 28350
10 46890   11 14900   12 36600
13 10100   14 12960   15 80, 12400
16 30, 19620   17 30, 6750   18 20, 6320
19 418, 16720   20 642, 32100

7

```
    3 1 3
×     2 0
─────────
  6 2 6 0
```

8

```
      1 6 9
×       8 0
───────────
  1 3 5 2 0
```

19 (40일 동안 만든 인형 수)
＝(하루에 만든 인형 수)×40
＝418×40＝16720(개)

20 (50일 동안 만든 단추 수)
＝(하루에 만든 단추 수)×50
＝642×50＝32100(개)

④ 일차 기초 계산 연습 74~75쪽

❶ 6500, 1300, 7800 ❷ 4050, 2430, 6480
❸ 2230, 1784, 4014 ❹ 11040, 736, 11776
❺ 24440, 3055, 27495
❻ 14180, 709, 14889
❼ 11520, 4608, 16128
❽ 36600, 1464, 38064
❾ 24720, 2472, 27192
❿ 18700, 3740, 22440
⓫ 21571, 20350, 1221
⓬ 20944, 18480, 2464
⓭ 20274, 19620, 654
⓮ 14736, 9210, 5526
⓯ 24416, 17440, 6976
⓰ 32103, 31320, 783

④ 일차 플러스 계산 연습 76~77쪽

1 8710 **2** 37638 **3** 17510
4 28750 **5** 48180 **6** 44928
7 7266 **8** 9350 **9** 35216
10 20160 **11** 30246 **12** 43848
13 3760 **14** 10384
15 43, 33368 **16** 54, 35262
17 35, 7980 **18** 36, 5256
19 372, 17112 **20** 554, 12742

7 173×42＝7266
173×40＝6920
173× 2＝ 346

8 275×34＝9350
275×30＝8250
275× 4＝1100

⑤ 일차 기초 계산 연습 78~79쪽

❶
```
    2 3 7
×     4 2
─────────
    4 7 4
  9 4 8 0
  9 9 5 4
```
❷
```
    1 7 5
×     3 1
─────────
    1 7 5
  5 2 5 0
  5 4 2 5
```
❸
```
    5 1 6
×     1 3
─────────
  1 5 4 8
  5 1 6 0
  6 7 0 8
```

❹
```
    3 5 5
×     2 6
─────────
  2 1 3 0
  7 1 0 0
  9 2 3 0
```
❺
```
    2 8 0
×     3 1
─────────
    2 8 0
  8 4 0 0
  8 6 8 0
```
❻
```
    5 4 2
×     1 7
─────────
  3 7 9 4
  5 4 2 0
  9 2 1 4
```

❼
```
    1 7 4
×     2 9
─────────
  1 5 6 6
  3 4 8 0
  5 0 4 6
```
❽
```
    4 9 3
×     1 6
─────────
  2 9 5 8
  4 9 3 0
  7 8 8 8
```
❾
```
    3 6 2
×     2 7
─────────
  2 5 3 4
  7 2 4 0
  9 7 7 4
```

❿
```
      7 1 1
×       3 5
───────────
    3 5 5 5
  2 1 3 3 0
  2 4 8 8 5
```
⓫
```
      3 4 2
×       6 3
───────────
    1 0 2 6
  2 0 5 2 0
  2 1 5 4 6
```

⓬
```
      4 2 8
×       5 2
───────────
    8 5 6
  2 1 4 0 0
  2 2 2 5 6
```
⓭
```
      6 2 5
×       2 3
───────────
    1 8 7 5
  1 2 5 0 0
  1 4 3 7 5
```

⓮
```
      5 5 3
×       2 9
───────────
    4 9 7 7
  1 1 0 6 0
  1 6 0 3 7
```
⓯
```
      8 8 1
×       6 2
───────────
    1 7 6 2
  5 2 8 6 0
  5 4 6 2 2
```

⓰ 16520 ;
```
      2 9 5
×       5 6
───────────
    1 7 7 0
  1 4 7 5 0
  1 6 5 2 0
```
⓱ 23715 ;
```
      5 2 7
×       4 5
───────────
    2 6 3 5
  2 1 0 8 0
  2 3 7 1 5
```

⓲ 23544 ;
```
      4 3 6
×       5 4
───────────
    1 7 4 4
  2 1 8 0 0
  2 3 5 4 4
```
⓳ 26894 ;
```
      7 9 1
×       3 4
───────────
    3 1 6 4
  2 3 7 3 0
  2 6 8 9 4
```

⑤일차 플러스 계산 연습 | 80~81쪽

1 4503	**2** 14921	**3** 12800
4 48140	**5** 45423	**6** 65160
7 9828	**8** 14630	**9** 15960
10 35826	**11** 23498	**12** 26992

13

```
        2 6 0
×         5 4
      1 0 4 0
    1 3 0 0 0
    1 4 0 4 0
```
; 14040

14

```
        6 3 5
×         2 3
      1 9 0 5
    1 2 7 0 0
    1 4 6 0 5
```
; 14605

15

```
        5 4 2
×         3 5
      2 7 1 0
    1 6 2 6 0
    1 8 9 7 0
```
; 18970

16

```
      1 4 6
×       2 8
    1 1 6 8
    2 9 2 0
    4 0 8 8
```
; 4088

17

```
      2 1 8
×       3 3
      6 5 4
    6 5 4 0
    7 1 9 4
```
; 7194

7

```
      1 8 9
×       5 2
      3 7 8
    9 4 5 0
    9 8 2 8
```

8

```
      4 1 8
×       3 5
    2 0 9 0
  1 2 5 4 0
  1 4 6 3 0
```

16 (줄넘기를 28일 동안 한 횟수)
$=146\times28=4088$(번)

17 (후프 돌리기를 33일 동안 한 횟수)
$=218\times33=7194$(번)

⑥일차 기초 계산 연습 | 82~83쪽

❶ 13800	❷ 14800	❸ 15600
❹ 23100	❺ 19600	❻ 44800
❼ 22500	❽ 24900	❾ 14400
❿ 17100	⓫ 29200	⓬ 40200
⓭ 19000	⓮ 11200	⓯ 31200
⓰ 44100	⓱ 38500	⓲ 27600

⑲ 12900 ;

```
          4 3
×       3 0 0
  1 2 9 0 0
```

⑳ 26800 ;

```
          6 7
×       4 0 0
  2 6 8 0 0
```

㉑ 11600 ;

```
          5 8
×       2 0 0
  1 1 6 0 0
```

㉒ 45000 ;

```
          7 5
×       6 0 0
  4 5 0 0 0
```

㉓ 28200 ;

```
          9 4
×       3 0 0
  2 8 2 0 0
```

⑥일차 플러스 계산 연습 | 84~85쪽

1 11100	**2** 17400
3 21200	**4** 32400
5 13200	**6** 73600
7 13800, 23000	**8** 20400, 23800
9 15600, 46800	**10** 25500, 34000
11 10500	**12** 17500
13 200, 9600	**14** 400, 19200
15 500, 14000	**16** 400, 14400
17 74, 14800	**18** 86, 25800

7

```
        4 6              4 6
×     3 0 0          ×     5 0 0
  1 3 8 0 0     ,      2 3 0 0 0
```

8

```
        3 4              3 4
×     6 0 0          ×     7 0 0
  2 0 4 0 0     ,      2 3 8 0 0
```

11~14 (사탕의 가격)=(1 g당 사탕 가격)×(무게)

17 (리본을 200개 만드는 데 필요한 끈의 길이)
＝(리본을 한 개 만드는 데 필요한 끈의 길이)
×200
＝$74\times200=14800$ (cm)

18 (상자 300개를 포장하는 데 필요한 끈의 길이)
＝(상자 한 개를 포장하는 데 필요한 끈의 길이)
×300
＝$86\times300=25800$ (cm)

정답과 해설

⑦ 일차 기초 계산 연습 86~87쪽

①

		2	6
×		5	3	4
		1	0	4
	7	8	0
1	3	0	0	0
1	3	8	8	4

②

		2	7
×		4	6	4
		1	0	8
	1	6	2	0
1	0	8	0	0
1	2	5	2	8

③

		5	1
×		2	8	7
		3	5	7
	4	0	8	0
1	0	2	0	0
1	4	6	3	7

④

		4	6
×		6	2	3
		1	3	8
		9	2	0
2	7	6	0	0
2	8	6	5	8

⑤

		5	7
×		3	2	5
		2	8	5
	1	1	4	0
1	7	1	0	0
1	8	5	2	5

⑥

		8	4
×		3	2	1
			8	4
	1	6	8	0
2	5	2	0	0
2	6	9	6	4

⑦

		3	6
×		4	1	4
		1	4	4
		3	6	0
1	4	4	0	0
1	4	9	0	4

⑧

		2	7
×		5	4	3
			8	1
	1	0	8	0
1	3	5	0	0
1	4	6	6	1

⑨

		4	5
×		6	3	2
			9	0
	1	3	5	0
2	7	0	0	0
2	8	4	4	0

⑩

		5	6
×		2	7	3
		1	6	8
	3	9	2	0
1	1	2	0	0
1	5	2	8	8

⑪

		6	8
×		2	5	7
		4	7	6
	3	4	0	0
1	3	6	0	0
1	7	4	7	6

⑫

		4	3
×		2	3	8
		3	4	4
	1	2	9	0
	8	6	0	0
1	0	2	3	4

⑬

		5	8
×		7	1	4
		2	3	2
		5	8	0
4	0	6	0	0
4	1	4	1	2

⑭

		7	3
×		4	3	8
		5	8	4
	2	1	9	0
2	9	2	0	0
3	1	9	7	4

⑮

		9	2
×		3	3	8
		7	3	6
	2	7	6	0
2	7	6	0	0
3	1	0	9	6

⑯

		6	6
×		5	7	3
		1	9	8
	4	6	2	0
3	3	0	0	0
3	7	8	1	8

⑰

		8	4
×		3	4	5
		4	2	0
	3	3	6	0
2	5	2	0	0
2	8	9	8	0

⑱

		7	5
×		6	2	2
		1	5	0
	1	5	0	0
4	5	0	0	0
4	6	6	5	0

⑦ 일차 플러스 계산 연습 88~89쪽

1 10368 **2** 30225
3 43142 **4** 40320
5 22035 **6** 59677
7 8866 **8** 8460
9 16107 **10** 28900
11 40139 **12** 15648
13 10050 **14** 25584
15 252, 24192 **16** 463, 40281
17 128, 3072 **18** 209, 11704
19 18, 5868 **20** 22, 9064

7

		1	3
×	6	8	2
		2	6
1	0	4	0
7	8	0	0
8	8	6	6

8

		3	6
×	2	3	5
	1	8	0
1	0	8	0
7	2	0	0
8	4	6	0

13~16 (색 테이프 전체의 길이)
    =(색 테이프 한 개의 길이)×(색 테이프의 수)

19 (326상자에 들어 있는 도넛의 수)
    =(한 상자에 들어 있는 도넛의 수)×326
    =18×326=5868(개)

20 (412상자에 들어 있는 과자의 수)
    =(한 상자에 들어 있는 과자의 수)×412
    =22×412=9064(개)

⑧ 일차 기초 계산 연습 90~91쪽

❶ 14994 ;

	3	4
×		7
2	3	8

		2	3	8
	×		6	3
		7	1	4
1	4	2	8	0
1	4	9	9	4

❷ 17544 ;

	5	1
×		8
4	0	8

		4	0	8
	×		4	3
	1	2	2	4
1	6	3	2	0
1	7	5	4	4

❸ 15640 ;

	6	8
×		5
3	4	0

		3	4	0
	×		4	6
	2	0	4	0
1	3	6	0	0
1	5	6	4	0

❹ 10950 ;

	7	3
×		6
4	3	8

		4	3	8
	×		2	5
	2	1	9	0
	8	7	6	0
1	0	9	5	0

❺ 19176 ;

	4	7
×		8
3	7	6

		3	7	6
	×		5	1
		3	7	6
1	8	8	0	0
1	9	1	7	6

❻ 20805 ;

	9	5
×		3
2	8	5

		2	8	5
	×		7	3
		8	5	5
1	9	9	5	0
2	0	8	0	5

❼ 15008 ;

	5	6
×		4
2	2	4

		2	2	4
	×		6	7
	1	5	6	8
1	3	4	4	0
1	5	0	0	8

❽ 17850 ;

	8	5
×		5
4	2	5

		4	2	5
	×		4	2
		8	5	0
1	7	0	0	0
1	7	8	5	0

❾ 20148 ;

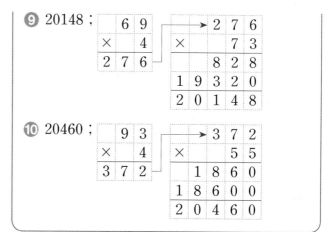

❿ 20460 ;

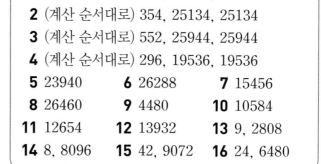

⑧ 일차 플러스 계산 연습 92~93쪽

1 (계산 순서대로) 266, 14098, 14098
2 (계산 순서대로) 354, 25134, 25134
3 (계산 순서대로) 552, 25944, 25944
4 (계산 순서대로) 296, 19536, 19536
5 23940   **6** 26288   **7** 15456
8 26460   **9** 4480   **10** 10584
11 12654   **12** 13932   **13** 9, 2808
14 8, 8096   **15** 42, 9072   **16** 24, 6480

11 $19 \times 9 \times 74 = 171 \times 74 = 12654$ (km)

12 $27 \times 6 \times 86 = 162 \times 86 = 13932$ (km)

평가 SPEED 연산력 TEST 94~95쪽

❶ 14000	❷ 13500	❸ 13480
❹ 31560	❺ 11160	❻ 22681
❼ 16200	❽ 16536	❾ 17228
❿ 24000	⑪ 14400	⑫ 14940
⑬ 11102	⑭ 38000	⑮ 24684
⑯ 18000	⑰ 12800	⑱ 15060
⑲ 16952	⑳ 11200	㉑ 15470
㉒ 12432	㉓ 19040	㉔ 13398
㉕ 18972		

㉒ $37 \times 8 \times 42 = 296 \times 42 = 12432$

㉓ $85 \times 4 \times 56 = 340 \times 56 = 19040$

㉔ $77 \times 3 \times 58 = 231 \times 58 = 13398$

㉕ $93 \times 6 \times 34 = 558 \times 34 = 18972$

정답과 해설

특강 문장제 문제 도전하기 96~99쪽

1 10000 ; 200, 50, 10000 ; 10000
2 16500 ; 550, 30, 16500 ; 16500
3 2840 ; 142, 20, 2840 ; 2840
4 300, 30, 9000 **5** 115, 80, 9200
6 120, 90, 10800
7 15200 ; 950, 16, 15200 ; 15200
8 3612 ; 14, 258, 3612 ; 3612
9 3120 ; 26, 8, 15, 3120 ; 3120
10 225, 54, 12150 **11** 32, 167, 5344
12 45, 300, 13500

6 (주원이네 농장에서 수확한 매실의 양)
$= 120 \times 90 = 10800$ (kg)

특강 창의·융합·코딩·도전하기 100~101쪽

융합1 2940, 8208 **융합2** 8850
창의3 11180, 6734, 6923

융합1 (빨랫감을 모아 세탁하여 절약한 물의 양)
$= 196 \times 15 = 2940$ (L)
(설거지할 때 물을 받아 절약한 물의 양)
$= 72 \times 114 = 8208$ (L)

융합2 $177 \times 50 = 8850$(원)

창의3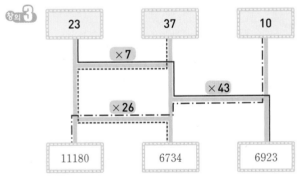

$23 \times 7 \times 43 = 161 \times 43 = 6923$,
$37 \times 7 \times 26 = 259 \times 26 = 6734$,
$10 \times 43 \times 26 = 430 \times 26 = 11180$

❋ 개념 ○✗ 퀴즈 정답

○ ⊗

$300 \times 40 = 12000$

---

4 나눗셈

❋ 개념 ○✗ 퀴즈

옳으면 ◯에, 틀리면 ✗에 ◯표 하세요.

$60 \div 20 = 3$

◯   ✗

정답은 24쪽에서 확인하세요.

1 일차 기초 계산 연습 104~105쪽

❶ $30)\overline{30}$ 1, 30, 0
❷ $50)\overline{50}$ 1, 50, 0
❸ $20)\overline{60}$ 3, 60, 0
❹ $20)\overline{20}$ 1, 20, 0
❺ $30)\overline{60}$ 2, 60, 0
❻ $40)\overline{40}$ 1, 40, 0
❼ $70)\overline{70}$ 1, 70, 0
❽ $40)\overline{80}$ 2, 80, 0
❾ $80)\overline{80}$ 1, 80, 0
❿ $30)\overline{90}$ 3, 90, 0
⓫ $60)\overline{60}$ 1, 60, 0
⓬ $20)\overline{40}$ 2, 40, 0
⓭ $90)\overline{90}$ 1, 90, 0
⓮ $40)\overline{80}$ 2, 80, 0
⓯ $20)\overline{80}$ 4, 80, 0
⓰ 1 ; $30)\overline{30}$ 1, 30, 0
⓱ 2 ; $30)\overline{60}$ 2, 60, 0
⓲ 1 ; $50)\overline{50}$ 1, 50, 0
⓳ 3 ; $20)\overline{60}$ 3, 60, 0

14

⑯~⑲ ㉡)㉠ ㉠에는 나누어지는 수를, ㉡에는 나누는 수를 써넣고 계산합니다.

1 일차 · 플러스 계산 연습　106~107쪽

1 1	2 1	3 2	4 2
5 1	6 1	7 1	8 2
9 1	10 4	11 3	12 1

13 3 ; 30, 2　　14 4 ; 40, 2　　15 30, 1
16 30, 3　　17 40, 20, 2　　18 60, 20, 3

17 (귤을 담은 상자 수)=40÷20=2(개)

18 (딸기를 담은 상자 수)=60÷20=3(개)

2 일차 · 기초 계산 연습　108~109쪽

```
❶     7        ❷      4
  20)140         40)160
     140            160
       0              0

❸     4        ❹      5
  60)240         50)250
     240            250
       0              0

❺     3        ❻      4
  70)210         90)360
     210            360
       0              0

❼     9        ❽      7
  30)270         80)560
     270            560
       0              0

❾     4        ❿      2
  70)280         80)160
     280            160
       0              0

⓫     7        ⓬      7
  30)210         60)420
     210            420
       0              0
```

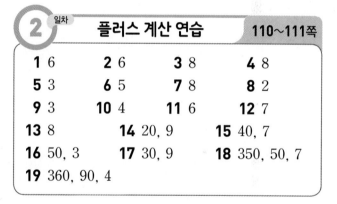

```
⑬      9        ⑭       7
  50)450          70)490
     450             490
       0               0

⑮        7
  90)630
     630
       0

⑯ 5 ;          ⑰ 8 ;
        5                8
  70)350          80)640
     350             640
       0               0

⑱ 9 ;          ⑲ 9 ;
        9                9
  60)540          90)810
     540             810
       0               0
```

2 일차 · 플러스 계산 연습　110~111쪽

1 6	2 6	3 8	4 8
5 3	6 5	7 8	8 2
9 3	10 4	11 6	12 7

13 8　　14 20, 9　　15 40, 7
16 50, 3　　17 30, 9　　18 350, 50, 7
19 360, 90, 4

1 180÷30=18÷3=6

6 30<150 ➡ 150÷30=5

7 160>20 ➡ 160÷20=8

3 일차 · 기초 계산 연습　112~113쪽

```
❶     1 0      ❷      3 0
  30)300         20)600
     30             60
      0              0

❸     1 0      ❹      1 0
  50)500         40)400
     50             40
      0              0

❺     1 0      ❻      2 0
  70)700         30)600
     70             60
      0              0
```

⑦
```
        1 0
6 0 ) 6 0 0
      6 0
         0
```

⑧
```
        4 0
2 0 ) 8 0 0
      8 0
         0
```

⑨
```
        1 0
8 0 ) 8 0 0
      8 0
         0
```

⑩
```
        1 0
2 0 ) 2 0 0
      2 0
         0
```

⑪
```
        3 0
3 0 ) 9 0 0
      9 0
         0
```

⑫
```
        2 0
2 0 ) 4 0 0
      4 0
         0
```

⑬
```
        1 0
3 0 ) 3 0 0
      3 0
         0
```

⑭
```
        1 0
9 0 ) 9 0 0
      9 0
         0
```

⑮
```
        2 0
4 0 ) 8 0 0
      8 0
         0
```

⑯ 30 ;
```
        3 0
2 0 ) 6 0 0
      6 0
         0
```

⑰ 10 ;
```
        1 0
8 0 ) 8 0 0
      8 0
         0
```

⑱ 10 ;
```
        1 0
7 0 ) 7 0 0
      7 0
         0
```

⑲ 40 ;
```
        4 0
2 0 ) 8 0 0
      8 0
         0
```

③ 일차 플러스 계산 연습 114~115쪽

1 10	**2** 30	**3** 10	**4** 10
5 30	**6** 20	**7** 10	**8** 10
9 20	**10** 40	**11** 10	**12** 10
13 20	**14** 40, 10	**15** 30, 20	
16 20, 10	**17** 20, 30	**18** 800, 80, 10	
19 900, 30, 30			

1 $200 \div 20 = 20 \div 2 = 10$

6 $400 \div 20 = 40 \div 2 = 20$

7 $400 \div 40 = 40 \div 4 = 10$

④ 일차 기초 계산 연습 116~117쪽

①
```
            1 4
2 0 ) 2 8 0
      2 0
        8 0
        8 0
         0
```

②
```
            1 2
4 0 ) 4 8 0
      4 0
        8 0
        8 0
         0
```

③
```
            1 8
3 0 ) 5 4 0
      3 0
      2 4 0
      2 4 0
         0
```

④
```
            1 2
6 0 ) 7 2 0
      6 0
      1 2 0
      1 2 0
         0
```

⑤
```
            1 5
5 0 ) 7 5 0
      5 0
      2 5 0
      2 5 0
         0
```

⑥
```
            1 2
8 0 ) 9 6 0
      8 0
      1 6 0
      1 6 0
         0
```

⑦
```
            1 4
4 0 ) 5 6 0
      4 0
      1 6 0
      1 6 0
         0
```

⑧
```
            2 6
2 0 ) 5 2 0
      4 0
      1 2 0
      1 2 0
         0
```

⑨
```
            1 3
7 0 ) 9 1 0
      7 0
      2 1 0
      2 1 0
         0
```

⑩ 13 ;
```
            1 3
3 0 ) 3 9 0
      3 0
        9 0
        9 0
         0
```

⑪ 13 ;
```
            1 3
5 0 ) 6 5 0
      5 0
      1 5 0
      1 5 0
         0
```

⑫ 14 ;
```
            1 4
6 0 ) 8 4 0
      6 0
      2 4 0
      2 4 0
         0
```

⑬ 14 ;
```
            1 4
7 0 ) 9 8 0
      7 0
      2 8 0
      2 8 0
         0
```

④ 일차 플러스 계산 연습 118~119쪽

1 13	**2** 13	**3** 17	**4** 24
5 37	**6** 12	**7** 15	**8** 34
9 13	**10** 19	**11** 11	**12** 16
13 16	**14** 17	**15** 30, 26	
16 40, 16	**17** 20, 14	**18** 30, 12	
19 330, 30, 11		**20** 650, 50, 13	

20 (귤을 담은 상자 수)
= (전체 귤의 수)
÷ (한 상자에 담으려고 하는 귤의 수)
= 650 ÷ 50 = 13(개)

⑤ 일차 기초 계산 연습 120~121쪽

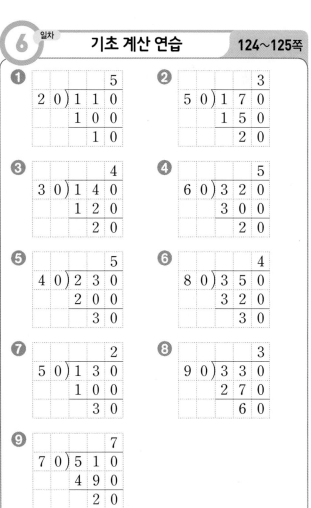

❶
$$20\overline{)27}$$
$$20$$
$$7$$

❷
$$30\overline{)64}$$
$$60$$
$$4$$

❸
$$50\overline{)55}$$
$$50$$
$$5$$

❹
$$40\overline{)56}$$
$$40$$
$$16$$

❺
$$60\overline{)72}$$
$$60$$
$$12$$

❻
$$30\overline{)34}$$
$$30$$
$$4$$

❼
$$50\overline{)61}$$
$$50$$
$$11$$

❽
$$20\overline{)66}$$
$$60$$
$$6$$

❾
$$80\overline{)89}$$
$$80$$
$$9$$

❿
$$30\overline{)43}$$
$$30$$
$$13$$
; 1, 30 ; 13

⓫
$$70\overline{)85}$$
$$70$$
$$15$$
; 1, 70 ; 15

⓬
$$80\overline{)90}$$
$$80$$
$$10$$
; 1, 80 ; 80, 10

⓭
$$30\overline{)71}$$
$$60$$
$$11$$
; 2, 60 ; 60, 11

⓮
$$40\overline{)83}$$
$$80$$
$$3$$
; 40 × 2 = 80,
80 + 3 = 83

⓯
$$50\overline{)59}$$
$$50$$
$$9$$
; 50 × 1 = 50,
50 + 9 = 59

---

⑩~⑮ (나누는 수) × (몫)의 계산 결과에 나머지를 더해서 나누어지는 수가 되면 맞게 계산한 것입니다.

⑤ 일차 플러스 계산 연습 122~123쪽

1 1 ; 8	**2** 2 ; 11	**3** 1 ; 32
4 1 ; 13	**5** 2 ; 28	**6** 2 ; 12
7 1, 9	**8** 1, 17	**9** 3, 15
10 3, 4	**11** 2, 13 ; 2	**12** 3, 5 ; 3
13 40, 2, 8 ; 2		**14** 30, 2, 16 ; 2
15 2, 15 ; 2, 15		**16** 20, 4, 16 ; 4, 16

15
$$40\overline{)95}$$
$$80$$
$$15$$
➜ 2도막이 되고, 15 cm가 남습니다.

16
$$20\overline{)96}$$
$$80$$
$$16$$
➜ 4도막이 되고, 16 cm가 남습니다.

⑥ 일차 기초 계산 연습 124~125쪽

❶
$$20\overline{)110}$$
$$100$$
$$10$$

❷
$$50\overline{)170}$$
$$150$$
$$20$$

❸
$$30\overline{)140}$$
$$120$$
$$20$$

❹
$$60\overline{)320}$$
$$300$$
$$20$$

❺
$$40\overline{)230}$$
$$200$$
$$30$$

❻
$$80\overline{)350}$$
$$320$$
$$30$$

❼
$$50\overline{)130}$$
$$100$$
$$30$$

❽
$$90\overline{)330}$$
$$270$$
$$60$$

❾
$$70\overline{)510}$$
$$490$$
$$20$$

⑩
```
        7
30)230
    210
     20
```
; 7, 210 ; 20

⑪
```
        6
60)380
    360
     20
```
; 6, 360 ; 20

⑫
```
        9
20)190
    180
     10
```
; 9, 180 ; 180, 10

⑬
```
        8
50)430
    400
     30
```
; 8, 400 ; 400, 30

⑭
```
        8
70)570
    560
     10
```
; 70×8=560, 560+10=570

⑮
```
        9
80)750
    720
     30
```
; 80×9=720, 720+30=750

6 일차 플러스 계산 연습　126~127쪽

1 5 ; 10　2 5 ; 10　3 4 ; 30　4 7 ; 40
5 6 ; 30　6 7 ; 50　7 7, 10　8 4, 50
9 6, 30　10 9, 40　11 4, 10　12 5, 30
13 7, 20　14 6, 20
15 7, 10 ; 7, 10　16 8, 20 ; 8, 20
17 50, 2, 30 ; 2, 30　18 70, 5, 40 ; 5, 40

1
```
     5  ←몫
30)160
   150
    10  ←나머지
```

2
```
     5  ←몫
40)210
   200
    10  ←나머지
```

11 250÷60=4 … 10 ➡ 4분 10초

12 330÷60=5 … 30 ➡ 5분 30초

17
```
     2
50)130
   100
    30
```
➡ 2자루가 되고, 30개가 남습니다.

18
```
     5
70)390
   350
    40
```
➡ 5병이 되고, 40마리가 남습니다.

7 일차 기초 계산 연습　128~129쪽

❶
```
       19
20)390
   20
   190
   180
    10
```

❷
```
       13
40)540
   40
   140
   120
    20
```

❸
```
       11
50)570
   50
    70
    50
    20
```

❹
```
       16
40)670
   40
   270
   240
    30
```

❺
```
       27
30)820
   60
   220
   210
    10
```

❻
```
       13
70)960
   70
   260
   210
    50
```

❼
```
       18
30)550
   30
   250
   240
    10
```
; 18, 540 ; 10

❽
```
       17
20)350
   20
   150
   140
    10
```
; 17, 340 ; 10

❾
```
       17
40)710
   40
   310
   280
    30
```
; 17, 680 ; 680, 30

❿
```
       12
80)980
   80
   180
   160
    20
```
; 12, 960 ; 960, 20

⓫
```
       12
70)880
   70
   180
   140
    40
```
; 70×12=840, 840+40=880

⓬
```
       15
60)930
   60
   330
   300
    30
```
; 60×15=900, 900+30=930

1 26 ; 10   **2** 15 ; 20   **3** 18 ; 30   **4** 14 ; 30

5 (위부터) 18, 10, 12, 10

6 (위부터) 15, 10, 12, 40

7 (위부터) 22, 20, 13, 30

8 (위부터) 15, 50, 11, 70

9 17, 10   **10** 15, 20

11 11, 40   **12** 23, 10

13 16, 10 ; 16, 10   **14** 15, 20 ; 15, 20

15 12, 20 ; 12, 20   **16** 12, 30 ; 12, 30

9 $520 \div 30 = 17 \cdots 10$
➡ 17도막까지 만들 수 있고, 10 cm가 남습니다.

10 $770 \div 50 = 15 \cdots 20$
➡ 15도막까지 만들 수 있고, 20 cm가 남습니다.

❶
```
        5
 4 0 ) 2 1 3
     2 0 0
       1 3
```
❷
```
          4
 3 0 ) 1 3 9
     1 2 0
       1 9
```
❸
```
        5
 7 0 ) 3 7 2
     3 5 0
       2 2
```
❹
```
          7
 6 0 ) 4 4 2
     4 2 0
       2 2
```
❺
```
        5
 5 0 ) 2 6 1
     2 5 0
       1 1
```
❻
```
          3
 8 0 ) 2 5 3
     2 4 0
       1 3
```
❼
```
        8
 2 0 ) 1 7 5
     1 6 0
       1 5
```
❽
```
          4
 4 0 ) 1 7 4
     1 6 0
       1 4
```
❾
```
        4
 9 0 ) 3 9 1
     3 6 0
       3 1
```
❿
```
        5
 3 0 ) 1 7 8
     1 5 0
       2 8
```
⓫
```
          4
 7 0 ) 2 9 4
     2 8 0
       1 4
```
; 5, 150 ; 28   ; 4, 280 ; 14

⓬
```
        9
 4 0 ) 3 7 3
     3 6 0
       1 3
```
⓭
```
          8
 6 0 ) 4 9 7
     4 8 0
       1 7
```
; 9, 360 ; 360, 13   ; 8, 480 ; 480, 17

⓮
```
        5
 8 0 ) 4 2 3
     4 0 0
       2 3
```
⓯
```
          7
 9 0 ) 6 6 2
     6 3 0
       3 2
```
; $80 \times 5 = 400$,   ; $90 \times 7 = 630$,
   $400 + 23 = 423$ $630 + 32 = 662$

1 2 ; 8   **2** 9 ; 25   **3** 3 ; 36   **4** 3 ; 45

5 9 ; 34   **6** 5 ; 53   **7** 2, 38   **8** 5, 29

9 8, 17   **10** 9, 49

11 9, 13 ; 9, 13   **12** 8, 19 ; 8, 19

13 7, 28   **14** 9, 13

15 8, 14 ; 8, 14   **16** 40, 4, 32 ; 4, 32

13 $308 \div 40 = 7 \cdots 28$
➡ 7컵까지 담을 수 있고, 28 mL가 남습니다.

14 $553 \div 60 = 9 \cdots 13$
➡ 9컵까지 담을 수 있고, 13 mL가 남습니다.

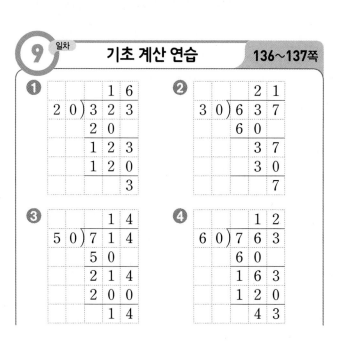

❶
```
          1 6
 2 0 ) 3 2 3
       2 0
     1 2 3
     1 2 0
         3
```
❷
```
            2 1
 3 0 ) 6 3 7
       6 0
       3 7
       3 0
         7
```
❸
```
          1 4
 5 0 ) 7 1 4
       5 0
     2 1 4
     2 0 0
       1 4
```
❹
```
            1 2
 6 0 ) 7 6 3
       6 0
     1 6 3
     1 2 0
       4 3
```

정답과 해설

⑤
```
      2 7
3 0)8 1 9
    6 0
    2 1 9
    2 1 0
        9
```

⑥
```
      1 6
4 0)6 5 5
    4 0
    2 5 5
    2 4 0
      1 5
```

⑦
```
      1 8
2 0)3 7 1
    2 0
    1 7 1
    1 6 0
      1 1
```
; 18, 360 ; 11

⑧
```
      1 6
4 0)6 7 3
    4 0
    2 7 3
    2 4 0
      3 3
```
; 16, 640 ; 33

⑨
```
      1 5
5 0)7 5 6
    5 0
    2 5 6
    2 5 0
        6
```
; 15, 750 ; 750, 6

⑩
```
      1 1
8 0)9 0 1
    8 0
    1 0 1
      8 0
      2 1
```
; 11, 880 ; 880, 21

⑪
```
      1 3
6 0)8 3 3
    6 0
    2 3 3
    1 8 0
      5 3
```
; 60×13=780,
780+53=833

⑫
```
      1 3
7 0)9 4 2
    7 0
    2 4 2
    2 1 0
      3 2
```
; 70×13=910,
910+32=942

---

⑨ 일차 플러스 계산 연습   138~139쪽

1 16 ; 11 **2** 16 ; 13 **3** 13 ; 47 **4** 24 ; 6
5 (위부터) 15, 23, 13, 26
6 (위부터) 14, 4, 24, 8
7 (위부터) 12, 1, 11, 65
8 (위부터) 26, 8, 12, 52
9 14 **10** 12 **11** 13 **12** 14
13 11, 49 ; 11 **14** 12, 15 ; 12
15 15, 12 ; 15, 12 **16** 16, 15 ; 16, 15

9 571÷40=14 … 11
➡ 14상자까지 포장할 수 있습니다.

10 373÷30=12 … 13
➡ 12상자까지 포장할 수 있습니다.

---

⑩ 일차 기초 계산 연습   140~141쪽

①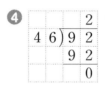
```
      2
2 1)4 2
    4 2
      0
```

②
```
      4
1 9)7 8
    7 6
      2
```

③
```
      3
2 2)6 9
    6 6
      3
```

④
```
      2
4 6)9 2
    9 2
      0
```

⑤
```
      3
2 3)7 4
    6 9
      5
```

⑥
```
      2
3 4)6 8
    6 8
      0
```

⑦
```
      3
1 6)4 8
    4 8
      0
```

⑧
```
      2
2 6)5 5
    5 2
      3
```

⑨
```
      5
1 5)7 5
    7 5
      0
```

⑩
```
      5
1 3)6 5
    6 5
      0
```
; 5, 65

⑪
```
      2
2 7)5 4
    5 4
      0
```
; 2, 54

⑫
```
      4
1 4)6 0
    5 6
      4
```
; 4, 56 ; 4

⑬
```
      2
3 5)7 7
    7 0
      7
```
; 2, 70 ; 70, 7

⑭
```
      3
1 9)5 7
    5 7
      0
```
; 19×3=57

⑮
```
      7
1 3)9 4
    9 1
      3
```
; 13×7=91,
91+3=94

---

⑩ 일차 플러스 계산 연습   142~143쪽

1 2 ; 3 **2** 7 ; 0 **3** 3 ; 0 **4** 2 ; 3
5 3, 6 ; 2, 7 **6** 3, 3 ; 2, 1
7 4, 12 ; 2, 20 **8** 6, 5 ; 2, 11
9 4 **10** 3 **11** 6
12 3, 8 ; 8 **13** 25, 3, 2 ; 2

12 53÷15=3 … 8
└→남는 사과 수

13 77÷25=3 … 2
└→남는 달걀 수

21

⑪ 일차 기초 계산 연습 144~145쪽

❶
```
          4
  2 5 ) 1 1 8
      1 0 0
        1 8
```

❷
```
          4
  3 1 ) 1 2 4
      1 2 4
          0
```

❸
```
          5
  2 7 ) 1 4 6
      1 3 5
        1 1
```

❹
```
          3
  5 4 ) 1 6 2
      1 6 2
          0
```

❺
```
          5
  4 6 ) 2 4 5
      2 3 0
        1 5
```

❻
```
          6
  3 3 ) 2 0 3
      1 9 8
          5
```

❼
```
          9
  4 2 ) 3 8 1
      3 7 8
          3
```

❽
```
          6
  5 7 ) 3 4 2
      3 4 2
          0
```

❾
```
          5
  8 8 ) 4 4 0
      4 4 0
          0
```

❿
```
          5
  4 1 ) 2 0 5
      2 0 5
          0
```
; 5, 205

⓫
```
          6
  6 5 ) 3 9 0
      3 9 0
          0
```
; 6, 390

⓬
```
          6
  1 9 ) 1 1 6
      1 1 4
          2
```
; 6, 114 ; 114, 2

⓭
```
          8
  5 7 ) 4 6 1
      4 5 6
          5
```
; 8, 456 ; 456, 5

⓮
```
          4
  7 3 ) 2 9 2
      2 9 2
          0
```
; 73×4=292

⓯
```
          7
  2 8 ) 2 0 7
      1 9 6
        1 1
```
; 28×7=196, 196+11=207

⓾~⓫ 나머지가 없는 경우 계산 결과가 맞는지 확인하기: (나누는 수)×(몫)=(나누어지는 수)

⓬~⓭ 나머지가 있는 경우 계산 결과가 맞는지 확인하기: (나누는 수)×(몫)=■, ■+(나머지)=(나누어지는 수)

⑪ 일차 플러스 계산 연습 146~147쪽

1 3 ; 8　　**2** 9 ; 0　　**3** 6 ; 0　　**4** 9 ; 6
5 7 ; 0　　**6** 7 ; 2　　**7** 3, 4　　**8** 6, 5
9 6, 13　　**10** 6, 10　　**11** 8　　**12** 6
13 35, 7　　　　　　　**14** 76, 5
15 8, 3 ; 8, 3　　　　**16** 45, 7, 3 ; 7, 3

16
```
          7
  4 5 ) 3 1 8
      3 1 5
          3
```
➡ 7봉지가 되고, 3개가 남습니다.

⑫ 일차 기초 계산 연습 148~149쪽

❶
```
        2 0
  2 6 ) 5 2 0
      5 2
        0
```

❷
```
        4 0
  1 6 ) 6 4 0
      6 4
        0
```

❸
```
        2 0
  3 8 ) 7 6 0
      7 6
        0
```

❹
```
        2 0
  4 3 ) 8 6 0
      8 6
        0
```

❺
```
        3 0
  1 9 ) 5 7 0
      5 7
        0
```

❻
```
        6 0
  1 3 ) 7 8 0
      7 8
        0
```

❼
```
        3 0
  2 5 ) 7 5 0
      7 5
        0
```

❽
```
        2 0
  3 9 ) 7 8 0
      7 8
        0
```

❾
```
        4 0
  2 4 ) 9 6 0
      9 6
        0
```

❿
```
        2 0
  3 3 ) 6 6 0
      6 6
        0
```

⓫
```
        3 0
  2 7 ) 8 1 0
      8 1
        0
```

⓬
```
        5 0
  1 7 ) 8 5 0
      8 5
        0
```

정답과 해설

⑬
```
        6 0
1 4 ) 8 4 0
      8 4
         0
```

⑭
```
        2 0
4 1 ) 8 2 0
      8 2
         0
```

⑮
```
        2 0
2 9 ) 5 8 0
      5 8
         0
```

⑯ 50 ;
```
        5 0
1 5 ) 7 5 0
      7 5
         0
```

⑰ 20 ;
```
        2 0
3 6 ) 7 2 0
      7 2
         0
```

⑱ 20 ;
```
        2 0
4 8 ) 9 6 0
      9 6
         0
```

⑲ 40 ;
```
        4 0
2 3 ) 9 2 0
      9 2
         0
```

⑤
```
        2 0
2 5 ) 5 1 0
      5 0
       1 0
```

⑥
```
        2 0
3 4 ) 6 9 5
      6 8
       1 5
```

⑦
```
        4 0
1 4 ) 5 7 1
      5 6
       1 1
```

⑧
```
        2 0
3 3 ) 6 6 7
      6 6
         7
```

⑨
```
        5 0
1 7 ) 8 6 2
      8 5
       1 2
```

⑩
```
        2 0
2 3 ) 4 6 5
      4 6
         5
```
; 20, 460 ; 5

⑪
```
        2 0
3 7 ) 7 5 1
      7 4
       1 1
```
; 20, 740 ; 11

⑫
```
        1 0
6 5 ) 6 7 2
      6 5
       2 2
```
; 10, 650 ; 650, 22

⑬
```
        6 0
1 4 ) 8 5 0
      8 4
       1 0
```
; 60, 840 ; 840, 10

⑭
```
        8 0
1 2 ) 9 6 6
      9 6
         6
```
; 12×80=960, 960+6=966

⑮
```
        3 0
3 2 ) 9 7 4
      9 6
       1 4
```
; 32×30=960, 960+14=974

⑫일차 플러스 계산 연습 150~151쪽

1 40 **2** 30 **3** 40
4 40 **5** 30 **6** 30
7 (교차선) **8** 20 **9** 30
10 31, 30 **11** 26, 20
12 25, 30 **13** 16, 50
14 480, 24, 20 **15** 690, 23, 30

7
```
     40         30         20         50
12)480    24)720     42)840     19)950
   48         72         84         95
    0,         0,         0,         0
```

⑬일차 기초 계산 연습 152~153쪽

❶
```
        4 0
1 5 ) 6 0 3
      6 0
         3
```

❷
```
        1 0
4 7 ) 4 9 1
      4 7
       2 1
```

❸
```
        3 0
2 1 ) 6 3 8
      6 3
         8
```

❹
```
        1 0
5 6 ) 5 8 3
      5 6
       2 3
```

⑬일차 플러스 계산 연습 154~155쪽

1 20 ; 12 **2** 40 ; 2 **3** 40 ; 11
4 20 ; 10 **5** 10 ; 22 **6** 30 ; 13
7 ( )(○) **8** ( )(○)
9 (○)( ) **10** ( )(○)
11 10, 12 ; 10, 12 **12** 20, 8 ; 20, 8
13 20, 15 **14** 30, 9
15 20, 8 ; 20, 8 **16** 10, 17 ; 10, 17

7 596÷29=20 … 16, 345÷32=10 … 25
➡ 16<25

8 519÷17=30 … 9, 675÷33=20 … 15
➡ 9<15

22

⑩~⑬ ㉡)㉠ ㉠에는 나누어지는 수를, ㉡에는 나누는 수를 써넣고 계산합니다.

14일차 기초 계산 연습 156~157쪽

①
```
      1 5
2 5)3 7 5
    2 5
    1 2 5
    1 2 5
          0
```

②
```
      2 2
1 7)3 7 4
    3 4
      3 4
      3 4
          0
```

③
```
      1 4
3 6)5 0 4
    3 6
    1 4 4
    1 4 4
          0
```

④
```
      3 7
1 3)4 8 1
    3 9
      9 1
      9 1
          0
```

⑤
```
      4 2
2 3)9 6 6
    9 2
      4 6
      4 6
          0
```

⑥
```
      1 2
5 7)6 8 4
    5 7
    1 1 4
    1 1 4
          0
```

⑦
```
      1 6
1 1)1 7 6
    1 1
      6 6
      6 6
          0
```

⑧
```
      1 3
4 9)6 3 7
    4 9
    1 4 7
    1 4 7
          0
```

⑨
```
      2 4
3 4)8 1 6
    6 8
    1 3 6
    1 3 6
          0
```

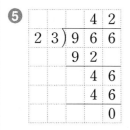

⑩ 15 ;
```
      1 5
1 6)2 4 0
    1 6
      8 0
      8 0
          0
```

⑪ 22 ;
```
      2 2
2 4)5 2 8
    4 8
      4 8
      4 8
          0
```

⑫ 18 ;
```
      1 8
3 7)6 6 6
    3 7
    2 9 6
    2 9 6
          0
```

⑬ 11 ;
```
      1 1
6 9)7 5 9
    6 9
      6 9
      6 9
          0
```

14일차 플러스 계산 연습 158~159쪽

1 24	**2** 15	**3** 21	**4** 13
5 13	**6** 16	**7** 36	**8** 12
9 24	**10** 13	**11** 19	**12** 11
13 48		**14** 64	
15 22, 36		**16** 12, 72	
17 16, 12		**18** 23, 21	
19 288, 12, 24		**20** 375, 25, 15	

7 $432 > 12 \Rightarrow 432 \div 12 = 36$

8 $56 < 672 \Rightarrow 672 \div 56 = 12$

15일차 기초 계산 연습 160~161쪽

①
```
      2 1
1 7)3 6 3
    3 4
      2 3
      1 7
          6
```

②
```
      1 5
2 1)3 2 7
    2 1
    1 1 7
    1 0 5
      1 2
```

③
```
      2 4
2 7)6 5 3
    5 4
    1 1 3
    1 0 8
          5
```

④
```
      1 1
3 3)3 8 7
    3 3
      5 7
      3 3
      2 4
```

⑤
```
      1 8
4 2)7 6 8
    4 2
    3 4 8
    3 3 6
      1 2
```

⑥
```
      1 7
5 4)9 5 8
    5 4
    4 1 8
    3 7 8
      4 0
```

⑦
```
      1 2
1 4)1 7 3
    1 4
      3 3
      2 8
          5
```

⑧
```
      2 3
2 6)6 1 5
    5 2
      9 5
      7 8
      1 7
```

; 12, 168 ; 168, 5   ; 23, 598 ; 598, 17

⑨
```
        1 5
 4 9 ) 7 7 2
      4 9
      2 8 2
      2 4 5
        3 7
```
; 15, 735 ; 735, 37

⑩
```
        1 7
 3 8 ) 6 5 2
      3 8
      2 7 2
      2 6 6
          6
```
; 17, 646 ; 646, 6

⑪
```
        1 4
 5 5 ) 7 9 5
      5 5
      2 4 5
      2 2 0
        2 5
```
; 55×14=770,
770+25=795

⑫
```
        1 2
 7 2 ) 8 7 2
      7 2
      1 5 2
      1 4 4
          8
```
; 72×12=864,
864+8=872

---

15 일차 **플러스 계산 연습** *162~163쪽*

1 18 ; 24 **2** 17 ; 4 **3** 25 ; 1 **4** 12 ; 40
5 22 ; 21 **6** 11 ; 26 **7** 22, 15 **8** 12, 50
9 37, 11 **10** 38, 3
11 15, 36 ; 15 **12** 21, 8 ; 21
13 45, 12, 9 ; 12 **14** 24, 22, 3 ; 22
15 11, 20 ; 11, 20 **16** 25, 23, 3 ; 23, 3

16
```
        2 3
 2 5 ) 5 7 8
      5 0
      7 8
      7 5
        3
```
➡ 베이글을 23개까지 만들 수 있고,
3 g이 남습니다.

평가 **SPEED 연산력 TEST** *164~165쪽*

❶ 12 ❷ 3 … 11 ❸ 5 … 20
❹ 3 … 22 ❺ 2 ❻ 8
❼ 60 ❽ 22 ❾ 13 … 6
❿ 3 ⓫ 5 ⓬ 20
⓭ 13 … 30 ⓮ 14 … 25 ⓯ 21 … 5
⓰ 3 ⓱ 2 ⓲ 5
⓳ 26 ⓴ 2, 3 ㉑ 15, 30
㉒ 9, 13 ㉓ 14, 10 ㉔ 25, 11
㉕ 16, 8

㉓
```
        1 4
 6 0 ) 8 5 0
      6 0
      2 5 0
      2 4 0
        1 0
```

㉔
```
        2 5
 3 0 ) 7 6 1
      6 0
      1 6 1
      1 5 0
        1 1
```

㉕
```
        1 6
 4 5 ) 7 2 8
      4 5
      2 7 8
      2 7 0
          8
```

특강 **문장제 문제 도전하기** *166~169쪽*

1 6 ; 120, 20, 6 ; 6
2 7, 10 ; 360, 50, 7, 10 ; 7, 10
3 3, 6 ; 96, 30, 3, 6 ; 3, 6
4 240, 30, 8 **5** 476, 50, 9, 26 ; 9
6 377, 30, 12, 17 ; 13
7 5 ; 75, 15, 5 ; 5
8 20, 12 ; 492, 24, 20, 12 ; 12
9 9, 8 ; 134, 14, 9, 8 ; 9, 8
10 760, 95, 8 **11** 585, 36, 16, 9 ; 16, 9
12 187, 12, 15, 7 ; 16

6 377÷30=12 … 17
➡ 30명씩 12대에 타고 남은 17명도 타야 하므
로 버스는 적어도 12+1=13(대) 필요합니다.

12 187÷12=15 … 7
➡ 12명씩 15개의 긴 의자에 앉고 남은 7명도 앉
아야 하므로 긴 의자는 적어도 15+1=16(개)
필요합니다.

특강 **창의·융합·코딩·도전하기** *170~171쪽*

창의**1**
```
        3            8            5  ; 3, 8, 5
 16 ) 4 8    23 ) 1 8 4    48 ) 2 4 0
      4 8          1 8 4          2 4 0
        0  ,          0  ,          0
```

융합**2** 6, 5   코딩**3** 12

코딩**3** 76은 세 자리 수가 아니므로 76+200=276,
276÷24=11 … 12에서 나머지 12가 출력됩
니다.

개념 ○ ✕ 퀴즈 정답

24

빈틈없는
수준별 학습으로
빠져나갈 구멍 없이
완전봉쇄!

사고력

서술형

독해력

이제 긴 문제도
어렵지 않아요!

기본기와 서술형을 한 번에, 확실하게
수학 자신감은 덤으로!

수학리더 시리즈 (초1~6 / 학기용)

[연산]
(*예비초~초6/총14단계)

[개념]

[기본]

[유형]

[기본+응용]

[응용·심화]

[최상위]
(*초3~6)

시험 대비교재

● 올백 전과목 단원평가   1~6학년/학기별
(1학기는 2~6학년)

● HME 수학 학력평가   1~6학년/상·하반기용

● HME 국어 학력평가   1~6학년

논술·한자교재

● YES 논술   1~6학년/총 24권

● 천재 NEW 한자능력검정시험 자격증 한번에 따기   8~5급(총 7권)/4급~3급(총 2권)

영어교재

● READ ME
– Yellow 1~3   2~4학년(총 3권)
– Red 1~3   4~6학년(총 3권)

● Listening Pop   Level 1~3

● Grammar, ZAP!
– 입문   1, 2단계
– 기본   1~4단계
– 심화   1~4단계

● Grammar Tab   총 2권

● Let's Go to the English World!
– Conversation   1~5단계, 단계별 3권
– Phonics   총 4권

예비중 대비교재

● 천재 신입생 시리즈   수학/영어

● 천재 반편성 배치고사 기출 & 모의고사

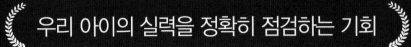
우리 아이의 실력을 정확히 점검하는 기회

40년의 역사
전국 초·중학생 213만 명의 선택

HME 학력평가
해법수학 · 해법국어

응시 학년		
수학	초등 1학년 ~ 중학 3학년
국어	초등 1학년 ~ 초등 6학년

응시 횟수		
수학	연 2회 (6월 / 11월)
국어	연 1회 (11월)

주최 천재교육 | 주관 한국학력평가 인증연구소 | 후원 서울교육대학교

*응시 날짜는 변동될 수 있으며, 더 자세한 내용은 HME 홈페이지에서 확인 바랍니다.